W9-BKK-762

Éditrice : Caty Bérubé

Directrice générale : Julie Doddridge

Chef d'équipe production éditoriale : Isabelle Roy
Chef d'équipe production graphique : Marie-Christine Langlois
Chefs cuisiniers : Benoît Boudreau et Richard Houde.

Rédactrice en chef : Laurence Roy-Tétreault
Auteurs : Caty Bérubé, Benoît Boudreau, Richard Houde, Annie Lavoie, Fernanda Machado Gonçalves et Raphaële St-Laurent Pelletier.
Réviseures : Marilou Cloutier et Corinne Dallain.
Recherchiste culinaire : Isabelle Chabot
Assistantes à la production : Edmonde Barry et Julie Day-Lebel
Conceptrices graphiques : Sonia Barbeau, Annie Gauthier, Arianne Leclerc Jodoin, Ariane Michaud-Gagnon, Myriam Poulin, Claudia Renaud et Joëlle Renauld.
Spécialiste en traitement d'images et calibration photo : Yves Vaillancourt
Photographes : Francis Gauthier, Rémy Germain et Marie-Ève Lévesque.
Stylistes culinaires : Laurie Collin et Christine Morin.
Assistante styliste : Katerine Doyon

Directeur de la distribution : Marcel Bernatchez
Distribution : Éditions Pratico-pratiques et Messageries ADP.

Impression : TC Interglobe

Dépôt légal : 2e trimestre 2016
Bibliothèque et Archives nationales du Québec
Bibliothèque et Archives Canada
ISBN 978-2-89658-638-7

Gouvernement du Québec - Programme de crédit d'impôt pour l'édition de livres - Gestion SODEC

Il est interdit de reproduire, en tout ou en partie, les textes, les illustrations et les photographies de ce livre. Bien que toutes les précautions aient été prises pour assurer l'exactitude et la véracité des informations contenues dans cette publication, il est entendu que Éditions Pratico-Pratiques inc. ne peut être tenue responsable des erreurs issues de leur utilisation.

1685, boulevard Talbot, Québec (QC) G2N 0C6
Tél. : 418 877-0259
Sans frais : 1 866 882-0091
Téléc. : 418 780-1716
www.pratico-pratiques.com

Commentaires et suggestions : info@pratico-pratiques.com

LES PLAISIRS GOURMANDS DE *Caty*

Sans viande

Des soupers savoureux et vraiment rassasiants

Table des matières

Mes plaisirs gourmands

Manger sans viande? Avec grand plaisir!

Je dois vous avouer que je n'ai jamais été une grande carnivore.

Comme la plupart des gens de ma génération, j'ai mangé de la viande chaque jour pendant ma jeunesse. Pas forcément parce que j'aimais ça, mais parce que c'est ce qui se trouvait dans mon assiette.

Si j'en mange plus souvent que j'en ai envie aujourd'hui, c'est bien plus par habitude que par goût. Il faut dire aussi que les idées me font souvent faux bond au moment de préparer des repas sans viande. C'est d'ailleurs ce qui m'a incitée à créer ce livre!

Comme moi, vous n'êtes pas très carnivore et avez besoin d'inspiration pour cuisiner sans viande? Ce livre de la collection *Les plaisirs gourmands de Caty* est votre nouvel allié!

En parcourant ses pages, vous découvrirez 100 succulentes recettes dans lesquelles la viande est remplacée par d'autres sources de protéines comme des légumineuses, du tofu, des noix, des céréales, des grains, des œufs et du fromage. En prime, vous y trouverez une foule de trucs et de conseils pratiques ainsi qu'une section dédiée aux soupers express et végé.

Si vous croyez que les mets sans viande sont ennuyants et qu'ils risquent de vous laisser sur votre faim, vous serez confondu par nos recettes aussi colorées et appétissantes que rassasiantes!

La prochaine fois que vous mangerez sans viande, vous pourrez enfin le faire avec plaisir!

Caty

Manger sans viande… sans se lasser !

Par principe ou par goût, pour notre santé ou pour celle de notre portefeuille, on a tous nos raisons de limiter notre consommation de viande ou de s'abstenir d'en manger. Toutefois, pour rester en santé, il faut trouver ailleurs le fer et les protéines nécessaires au bon fonctionnement de notre organisme.

Fort heureusement, l'industrie alimentaire nous fournit de nos jours une grande variété d'aliments pouvant combler ces besoins. Mais si la disponibilité des produits n'est pas un problème, le manque d'inspiration peut en être un ! Lorsque l'on n'a pas l'habitude de cuisiner sans viande, l'imagination nous fait souvent faux bond et l'on tend à refaire sans cesse les mêmes plats.

Envie d'injecter une bonne dose de nouveauté à votre répertoire de mets sans viande ? Vous trouverez tout ce qu'il faut pour le faire en parcourant les sept sections de recettes de ce livre.

Mais d'abord, faites le plein d'informations et d'astuces pratiques !

Le rôle des protéines

Quand on réduit ou que l'on arrête complètement sa consommation de viande, le plus grand défi à relever est de maintenir un apport suffisant en protéines. En plus de contribuer au développement de nos muscles, les protéines fournissent de l'énergie et sont indispensables pour protéger contre les maladies. Grâce à la sensation de satiété qu'elles procurent, elles peuvent aussi faciliter la perte de poids. Quotidiennement, c'est 0,8 g de protéines par kilo de notre poids que l'on doit consommer pour être en bonne santé.

Mythe ou réalité ?

Les gens qui ne mangent pas de viande manquent de fer et sont plus faibles.

MYTHE. La viande rouge n'est pas la seule source de fer. Les légumes vert foncé, les légumineuses, les noix, les céréales à grains entiers ainsi que les fruits séchés le sont aussi. Toutefois, puisque le fer contenu dans les aliments d'origine végétale est plus difficilement assimilé par l'organisme, il est recommandé d'ajouter une source de vitamine C à chacun de nos repas (la vitamine C facilite l'absorption du fer) et d'éviter les inhibiteurs de fer (thé, café, cacao...) pendant les repas et jusqu'à une heure après ceux-ci.

Protéines animales et végétales : la différence

À la différence des protéines animales qui sont complètes, les protéines végétales (noix, graines, produits céréaliers...) sont incomplètes (exception faite du soya). Résultat : ces dernières doivent être combinées à une protéine animale (œufs, produits laitiers, volaille...) ou à une autre source de protéines végétales pour offrir à notre organisme tous les acides aminés dont il a besoin pour être en santé. Contrairement à ce qui était véhiculé par le passé, ces combinaisons d'aliments peuvent être consommées dans la même journée pour compléter l'apport en protéines (pas nécessairement au cours d'un même repas). Des exemples de combinaisons ? Edamames et fromage, légumineuses et quinoa, chili végétarien et tranche de pain intégral, etc.

Le soya sous toutes ses formes

Le soya, qui fait partie de la grande famille des légumineuses, est l'un des premiers aliments à avoir été cultivé par l'humain il y a 13 000 ans. Grâce à ses protéines de qualité et ses bons gras (monoinsaturés et polyinsaturés, oméga-3 inclus), il peut se substituer sans problème à la viande. La preuve : 250 ml (1 tasse) de fèves de soya cuites contiennent autant de protéines que 100 g (3 ½ oz) de viande, de volaille ou de poisson cuits. En plus de ces formidables atouts, le soya procure des antioxydants, des phytoestrogènes (molécules d'origine végétale qui présentent des similitudes avec les estrogènes), des vitamines ainsi que des minéraux comme le calcium, le fer et le zinc. Et comme toute autre légumineuse, il est totalement exempt de cholestérol !

Tofu

Fait à partir de boisson de soya, le tofu présente un goût neutre qui peut se marier à plusieurs aliments. Offert sous différentes formes, il offre de multiples possibilités. Mou, il peut servir à la réalisation de sauces, de trempettes, de purées, de potages, de smoothies et de poudings. Mi-ferme, ferme ou extra-ferme, il peut être coupé en cubes ou en lanières pour être grillé, mijoté, sauté ou frit. Il peut aussi être émietté ou râpé pour servir de base à une garniture pour sandwich ou pour remplacer la viande hachée dans les recettes qui en contiennent.

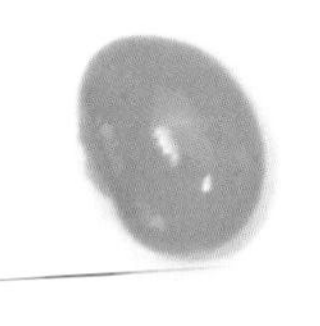

Edamame

L'edamame est la fève de soya récoltée avant maturité, alors qu'elle est encore verte. Toxique lorsque mangé cru, l'edamame doit impérativement être cuit et ses grains doivent être expulsés de leur cosse avant d'être consommés. Présentant une texture à la fois ferme et moelleuse, leur saveur ne manque pas de rappeler celle des pois verts ou des pois mange-tout. Pour s'en régaler, on les intègre à une salade de légumineuses, à un sauté de style asiatique ou à une soupe. On peut aussi les servir en accompagnement avec un plat de poisson ou les servir à l'heure de l'apéro, blanchis et saupoudrés de fleur de sel. On trouve les edamames en cosse ou décortiqués tout au long de l'année au rayon des surgelés.

Tempeh

Originaire d'Indonésie, le tempeh est fait à base de fèves de soya entièrement fermentées et est offert sous forme de pain compact. À la fois tendre et croquant, il présente un goût plutôt surprenant, évoquant celui des noisettes, de la levure et des champignons. Comme le tofu, le tempeh est polyvalent et peut remplacer la viande dans nombre de recettes. Pour le rendre plus savoureux, il est conseillé de le faire mariner ou de bien l'assaisonner.

Miso

Le miso est un condiment typique de la cuisine japonaise. Obtenue par double fermentation, cette pâte à base de soya, de céréales, de sel et d'eau présente une texture semblable à celle du beurre d'arachide, une couleur variant du beige au brun ainsi qu'un goût prononcé et salé. On l'utilise pour rehausser la saveur des soupes, des sautés, des vinaigrettes et des sauces aux accents asiatiques. On peut aussi en faire un bouillon qui formera la base d'une soupe miso ou d'une boisson chaude.

Boisson de soya

Produite à partir de fèves de soya bouillies, puis écrasées afin d'obtenir un liquide laiteux, la boisson de soya contient moins de matières grasses que le lait de vache et tout autant de calcium. Pour un choix plus santé, on opte pour celles qui sont non aromatisées ou non sucrées. Dans un smoothie, un gruau, des céréales ou des sauces : la boisson de soya peut remplacer le lait de vache dans presque tout !

Les légumineuses : de puissantes alliées !

Les légumineuses ont tout pour elles ! En plus d'exister sous différentes formes et d'être économiques, elles sont sources de protéines végétales, de fibres, de minéraux et de vitamines (fer, zinc, vitamines du complexe B), ce qui fait d'elles d'excellents substituts à la viande. Grâce à leur combinaison protéine-fibres, les légumineuses favorisent la satiété et aident à maintenir un bon niveau d'énergie jusqu'au prochain repas. Autres bonnes nouvelles à leur sujet : elles ont un faible indice glycémique, une faible teneur en gras et peuvent se conserver des mois sans perdre leur valeur nutritive.

Pour vous, légumineuses égalent ballonnements ? En manger de petites quantités régulièrement aidera votre système digestif à s'y habituer et à les digérer plus facilement. Boire une grande quantité d'eau tout au long de la journée est aussi de mise !

Les noix

En plus d'une bonne dose de protéines, les noix fournissent aussi une grande quantité de fibres, du zinc et des corps gras dont notre organisme a besoin. Mais attention ! Puisqu'elles sont assez caloriques, il est conseillé de respecter la portion suggérée par le *Guide alimentaire canadien*, soit 60 ml (¼ de tasse) et de les préférer nature grillées à sec.

Noix de cajou
Trois fois plus de fer que les noix de Grenoble !

Noix de Grenoble
Riches en oméga-3 !

Amandes
Pour faire le plein de fibres et de protéines !

Les œufs

En plus de son apport nutritionnel en protéines complètes, l'œuf fournit aussi une bonne dose de vitamines D, B2 et B12 ainsi qu'une grande variété de minéraux. Poché, cuit dur, brouillé, miroir ou en omelette, ce super dépanneur se prête à une foule de plats, et ce, du déjeuner au souper. Des plus soutenants, c'est un excellent substitut à la viande !

Environ 60 % des protéines de l'œuf se trouvent dans le blanc !

Polyvalentes légumineuses

Économiques et polyvalentes, les légumineuses méritent qu'on les mette plus souvent au menu ! D'autres raisons pour lesquelles on les aime tant : elles sont pauvres en gras, riches en protéines et elles regorgent de fibres, de vitamines ainsi que de minéraux. Des haricots aux lentilles en passant par les edamames et les pois chiches, découvrez des recettes qui mettent ces trésors nutritifs en valeur !

Burritos végé

Préparation : 20 minutes – **Cuisson :** 15 minutes – **Quantité :** 4 portions

PAR PORTION	
Calories	697
Protéines	23 g
Matières grasses	27 g
Glucides	95 g
Fibres	14 g
Fer	5 mg
Calcium	184 mg
Sodium	1 019 mg

- 250 ml (1 tasse) d'edamames
- 15 ml (1 c. à soupe) d'huile d'olive
- 1 oignon haché
- 15 ml (1 c. à soupe) d'ail haché
- 250 ml (1 tasse) de sauce marinara
- 15 ml (1 c. à soupe) d'assaisonnements à tacos
- 1 boîte de pois chiches de 540 ml, rincés et égouttés
- 8 tortillas moyennes

Pour la salade de chou :

- 30 ml (2 c. à soupe) d'huile d'olive
- 30 ml (2 c. à soupe) de jus de lime
- 15 ml (1 c. à soupe) de coriandre hachée
- 15 ml (1 c. à soupe) de miel
- Sel et poivre au goût
- 375 ml (1 ½ tasse) de chou vert émincé finement
- 250 ml (1 tasse) de chou rouge émincé finement
- 8 tomates cerises de couleurs variées coupées en quatre
- 1 avocat coupé en dés

—

1. Dans une casserole d'eau bouillante, cuire les edamames 5 minutes. Égoutter.

2. Dans une poêle, chauffer l'huile d'olive à feu moyen. Cuire l'oignon et l'ail 1 minute.

3. Ajouter la sauce marinara et les assaisonnements à tacos. Porter à ébullition, puis ajouter les pois chiches et les edamames. Cuire de 8 à 10 minutes à feu doux-moyen.

4. Dans un bol, mélanger l'huile d'olive avec le jus de lime, la coriandre et le miel. Saler et poivrer. Ajouter les choux, les tomates cerises et l'avocat. Remuer.

5. Dans une autre poêle, chauffer chaque tortilla 15 secondes de chaque côté à feu moyen.

6. Garnir les tortillas de préparation aux pois chiches et de salade de chou.

—

J'aime avec...

Sauce lime et miel

Mélanger 180 ml (¾ de tasse) de crème sure avec 15 ml (1 c. à soupe) de miel, 15 ml (1 c. à soupe) de zestes de lime et 15 ml (1 c. à soupe) de coriandre hachée. Saler et poivrer.

Salade d'edamames et arachides à l'asiatique

Préparation: 20 minutes – **Cuisson**: 5 minutes – **Quantité**: 4 portions

PAR PORTION	
Calories	538
Protéines	25 g
Matières grasses	37 g
Glucides	35 g
Fibres	9 g
Fer	7 mg
Calcium	327 mg
Sodium	376 mg

- 500 ml (2 tasses) d'edamames
- 1 poivron rouge
- 1 carotte
- 500 ml (2 tasses) de bébés épinards
- 250 ml (1 tasse) de chou nappa émincé
- 250 ml (1 tasse) de fèves germées
- 80 ml (⅓ de tasse) d'arachides
- 45 ml (3 c. à soupe) de feuilles de coriandre

Pour la vinaigrette:

- 60 ml (¼ de tasse) d'huile de canola
- 45 ml (3 c. à soupe) de vinaigrette japonaise (de type Wafu)
- 30 ml (2 c. à soupe) de miel
- 30 ml (2 c. à soupe) de jus de lime
- 15 ml (1 c. à soupe) de sauce soya
- 15 ml (1 c. à soupe) de gingembre haché
- 15 ml (1 c. à soupe) de graines de sésame grillées
- Sel et poivre au goût

—

1. Dans une casserole d'eau bouillante salée, cuire les edamames 5 minutes. Rafraîchir sous l'eau très froide et égoutter.

2. Émincer le poivron. Couper la carotte en julienne.

3. Dans un saladier, fouetter les ingrédients de la vinaigrette.

4. Ajouter le reste des ingrédients et remuer.

—

L'edamame, c'est nutritif!

Deux fois plus protéiné que les autres légumineuses, l'edamame est un ingrédient parfait pour un repas sans viande nutritif. Aussi délicieuse que les pois sucrés et les pois mange-tout, qu'elle remplace aisément dans les salades ou les sautés, cette petite fève de soya renferme par ailleurs une bonne quantité de fibres et de phytoestrogènes. Autre vertu, pratique cette fois: vendue surgelée, elle cuit en 5 minutes à peine dans l'eau bouillante, ce qui en fait un aliment sauve-la-vie à adopter quand le temps fait défaut. Essayez-la dans les soupes et les mets au goût asiatique!

Pain aux lentilles

Préparation : 15 minutes – **Cuisson :** 25 minutes – **Quantité :** 4 portions

PAR PORTION	
Calories	355
Protéines	22 g
Matières grasses	13 g
Glucides	38 g
Fibres	7 g
Fer	5 mg
Calcium	272 mg
Sodium	306 mg

- 1 boîte de lentilles de 540 ml, rincées et égouttées
- 250 ml (1 tasse) de cheddar râpé
- 180 ml (¾ de tasse) de riz brun cuit
- 5 ml (1 c. à thé) d'origan haché
- 5 ml (1 c. à thé) de basilic haché
- 2 œufs battus
- 1 carotte râpée
- ½ oignon haché
- ½ poivron rouge coupé en dés
- 1 gousse d'ail hachée
- Sel et poivre au goût
- 180 ml (¾ de tasse) de coulis de tomates

—

1. Préchauffer le four à 180 °C (350 °F).

2. Dans un bol, mélanger tous les ingrédients, à l'exception du coulis de tomates.

3. Tapisser un plat de cuisson carré de 20 cm (8 po) de papier parchemin, puis y déposer la préparation. Égaliser la surface en pressant légèrement.

4. Cuire au four de 25 à 30 minutes, jusqu'à ce que le dessus du pain soit légèrement doré.

5. Retirer du four et laisser tiédir 5 minutes avant de démouler. Servir avec le coulis de tomates.

—

LE SAVIEZ-VOUS ?

—

Les lentilles, c'est bon pour la santé !

Parce qu'elles procurent une quantité appréciable de protéines (13 g par portion de 75 g – 180 ml), les lentilles sont considérées comme un excellent substitut à la viande, le gras en moins. Riches en fibres (6 g par portion de 75 g), elles contribuent également à une bonne digestion. De plus, elles comblent 44 % des besoins quotidiens en acide folique d'une femme enceinte. Chaudes ou froides, les lentilles enrichissent aisément soupes, salades, garnitures et pains.

Recette de Charlotte Geroudet, nutritionniste

Salade de légumineuses aux pois chiches croustillants

Préparation : 25 minutes – **Cuisson :** 15 minutes – **Quantité :** de 4 à 6 portions

PAR PORTION	
avec la vinaigrette	
Calories	361
Protéines	18 g
Matières grasses	11 g
Glucides	50 g
Fibres	11 g
Fer	6 mg
Calcium	154 mg
Sodium	30 mg

- 1 boîte de pois chiches de 540 ml, rincés et égouttés
- 15 ml (1 c. à soupe) d'huile d'olive
- 5 ml (1 c. à thé) de paprika fumé
- 2,5 ml (½ c. à thé) de piment d'Espelette
- 375 ml (1 ½ tasse) d'edamames
- 1 boîte de haricots blancs de 540 ml, rincés et égouttés
- 3 demi-poivrons de couleurs variées coupés en petits cubes
- ½ oignon rouge émincé
- 250 ml (1 tasse) de chou-fleur coupé en petits bouquets
- 1 boîte de pousses de 100 g au choix

—

1. Préchauffer le four à 180 °C (350 °F).

2. Dans un bol, mélanger les pois chiches avec l'huile d'olive et les épices. Déposer sur une plaque de cuisson tapissée de papier parchemin. Cuire au four de 15 à 18 minutes, en remuant de temps en temps.

3. Dans une casserole d'eau bouillante, cuire les edamames 5 minutes. Rincer sous l'eau très froide et égoutter.

4. Dans un saladier, déposer les edamames, les haricots blancs, les poivrons, l'oignon rouge et le chou-fleur. Remuer. Si désiré, incorporer la vinaigrette orange et menthe (voir recette ci-dessous).

5. Répartir la salade dans les assiettes. Garnir chaque portion de pois chiches croustillants et de pousses.

—

J'aime avec...

Vinaigrette orange et menthe

Mélanger 60 ml (¼ de tasse) de jus d'orange avec 60 ml (¼ de tasse) de persil haché, 60 ml (¼ de tasse) de menthe hachée, 30 ml (2 c. à soupe) d'huile d'olive, 30 ml (2 c. à soupe) de jus de citron et 30 ml (2 c. à soupe) de sirop d'érable. Poivrer.

PAR PORTION	
Calories	438
Protéines	16 g
Matières grasses	23 g
Glucides	45 g
Fibres	10 g
Fer	6 mg
Calcium	61 mg
Sodium	550 mg

Potage aux lentilles

Préparation: 20 minutes – **Cuisson**: 20 minutes – **Quantité**: 4 portions

30 ml	(2 c. à soupe) d'huile de canola
1	oignon émincé
15 ml	(1 c. à soupe) de mélange chinois cinq épices
4	tomates italiennes coupées en dés
750 ml	(3 tasses) de bouillon de légumes
250 ml	(1 tasse) de lentilles rouges ou corail
1	boîte de lait de coco de 400 ml
	Sel et poivre au goût
1	pincée de piment d'Espelette

—

1. Dans une casserole, chauffer l'huile à feu moyen-élevé. Cuire l'oignon de 2 à 3 minutes.

2. Ajouter le mélange chinois cinq épices et cuire 30 secondes.

3. Ajouter les dés de tomates, le bouillon et les lentilles. Porter à ébullition, puis laisser mijoter de 20 à 25 minutes à feu doux, jusqu'à ce que les lentilles soient tendres. Incorporer le lait de coco.

4. Verser la préparation dans le contenant du mélangeur électrique et réduire en potage. Filtrer la préparation à l'aide d'une passoire fine.

5. Saler, poivrer et saupoudrer de piment d'Espelette.

—

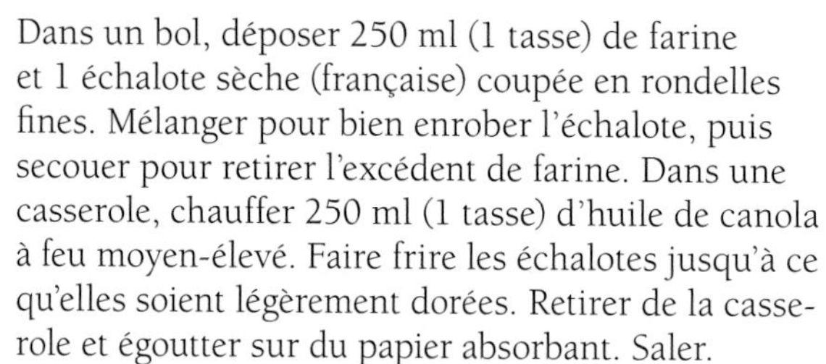

J'aime avec...

Échalotes frites

Dans un bol, déposer 250 ml (1 tasse) de farine et 1 échalote sèche (française) coupée en rondelles fines. Mélanger pour bien enrober l'échalote, puis secouer pour retirer l'excédent de farine. Dans une casserole, chauffer 250 ml (1 tasse) d'huile de canola à feu moyen-élevé. Faire frire les échalotes jusqu'à ce qu'elles soient légèrement dorées. Retirer de la casserole et égoutter sur du papier absorbant. Saler.

Chili végé

Préparation : 25 minutes – **Cuisson :** 50 minutes – **Quantité :** 6 portions

PAR PORTION	
avec la garniture	
Calories	565
Protéines	20 g
Matières grasses	26 g
Glucides	65 g
Fibres	18 g
Fer	8 mg
Calcium	150 mg
Sodium	592 mg

- 30 ml (2 c. à soupe) d'huile d'olive
- 1 oignon haché
- 2 gousses d'ail hachées
- 3 demi-poivrons de couleurs variées coupés en dés
- 1 boîte de tomates broyées de 796 ml
- 5 ml (1 c. à thé) de cumin
- 5 ml (1 c. à thé) de grains de coriandre moulus
- 1 piment thaï haché
- 125 ml (½ tasse) d'orge mondé
- 500 ml (2 tasses) de bouillon de légumes
- Sel au goût
- 2 petites patates douces coupées en cubes
- 1 boîte de pois chiches de 540 ml, rincés et égouttés
- 1 boîte de haricots rouges de 540 ml, rincés et égouttés

Pour la garniture :

- 2 avocats coupés en dés (facultatif)
- 250 ml (1 tasse) de crème de coco (facultatif)
- Sel et poivre au goût

—

1. Dans une casserole, chauffer l'huile à feu moyen. Cuire l'oignon et l'ail 2 minutes.

2. Ajouter les poivrons, les tomates broyées, le cumin, la coriandre, le piment thaï et l'orge. Remuer.

3. Verser le bouillon de légumes et porter à ébullition. Saler. Cuire de 35 à 40 minutes à feu doux-moyen.

4. Ajouter les cubes de patates douces, les pois chiches et les haricots rouges. Prolonger la cuisson de 15 minutes.

5. Si désiré, garnir le chili de dés d'avocats et de crème de coco. Saler et poivrer.

—

J'aime parce que...

Ce chili végé est hyperprotéiné !

À raison de 20 g de protéines par portion, ce chili revisité à la sauce végé vous invite à adhérer sans tarder au courant « Lundi sans viande ». Que vous l'inscriviez au menu en début ou en fin de semaine, ce plat aussi coloré qu'épicé assouvira votre appétit autant que votre faim de nutriments. Grâce à sa teneur élevée en fibres (18 g par portion, soit 76 % de la valeur quotidienne recommandée), il favorise la sensation de satiété. Parmi ses autres qualités, on compte un apport en fer comblant plus de la moitié des besoins quotidiens (57 % VQ).

Salade de falafels aux betteraves grillées

Préparation : 25 minutes – **Cuisson :** 18 minutes – **Quantité :** 4 portions

PAR PORTION	
avec la vinaigrette	
Calories	613
Protéines	16 g
Matières grasses	42 g
Glucides	48 g
Fibres	8 g
Fer	6 mg
Calcium	191 mg
Sodium	238 mg

4 petites betteraves cuites
7,5 ml (½ c. à soupe) d'huile d'olive
Sel et poivre au goût
½ laitue romaine déchiquetée
12 feuilles de menthe
125 ml (½ tasse) de grains de grenade

Pour les falafels :

1 boîte de pois chiches de 540 ml, rincés et égouttés
60 ml (¼ de tasse) de chapelure nature
60 ml (¼ de tasse) de feta émiettée
1 œuf
5 ml (1 c. à thé) de cumin
1,25 ml (¼ de c. à thé) de cannelle
2,5 ml (½ c. à thé) de coriandre moulue
Sel et poivre au goût
15 ml (1 c. à soupe) d'ail haché
60 ml (¼ de tasse) de persil haché
15 ml (1 c. à soupe) de zestes de citron
7,5 ml (½ c. à soupe) d'huile d'olive

—

1. Préchauffer le four à 205 °C (400 °F).

2. Dans le contenant du robot culinaire, déposer les pois chiches, la chapelure, la feta, l'œuf, le cumin, la cannelle et la coriandre. Saler et poivrer. Mélanger jusqu'à l'obtention d'une consistance pâteuse. Transférer la préparation dans un bol.

3. Ajouter l'ail, le persil et les zestes dans le bol. Remuer. Façonner 16 boulettes en utilisant environ 30 ml (2 c. à soupe) de préparation pour chacune d'elles.

4. Sur une plaque de cuisson tapissée de papier parchemin, déposer les boulettes. Arroser d'un filet d'huile d'olive. Cuire au four de 18 à 20 minutes.

5. Couper les betteraves en rondelles. Déposer les rondelles sur une plaque de cuisson tapissée de papier parchemin. Badigeonner d'huile d'olive. Saler et poivrer. Cuire au four de 12 à 15 minutes.

6. Dans un saladier, déposer la laitue romaine, les feuilles de menthe et les grains de grenade. Remuer.

7. Répartir la salade dans les assiettes. Garnir de falafels et de betteraves grillées. Si désiré, napper de vinaigrette tahini et citron (voir recette ci-dessous).

—

J'aime avec...

Vinaigrette tahini et citron

Mélanger 60 ml (¼ de tasse) d'huile d'olive avec 15 ml (1 c. à soupe) de tahini (beurre de sésame), 15 ml (1 c. à soupe) de jus de citron, 30 ml (2 c. à soupe) de persil haché, 5 ml (1 c. à thé) de grains de cumin, 5 ml (1 c. à thé) d'ail haché et 2 oignons verts hachés. Saler et poivrer.

Soupe dhal

Préparation : 20 minutes – **Cuisson :** 30 minutes – **Quantité :** de 4 à 6 portions

PAR PORTION	
Calories	296
Protéines	18 g
Matières grasses	6 g
Glucides	44 g
Fibres	8 g
Fer	5 mg
Calcium	36 mg
Sodium	450 mg

500 ml	(2 tasses) de lentilles corail ou rouges
30 ml	(2 c. à soupe) d'huile de canola
1	oignon haché
30 ml	(2 c. à soupe) d'ail haché
10 ml	(2 c. à thé) de gingembre haché
5 ml	(1 c. à thé) de curcuma
2,5 ml	(½ c. à thé) de cumin
1 litre	(4 tasses) de bouillon de légumes
	Sel et poivre au goût
15 ml	(1 c. à soupe) de coriandre hachée

—

1. Rincer les lentilles sous l'eau froide, puis égoutter.

2. Dans une casserole, chauffer l'huile à feu moyen. Faire revenir l'oignon avec l'ail, le gingembre, le curcuma et le cumin de 2 à 3 minutes.

3. Verser le bouillon de légumes. Saler et poivrer. Couvrir et laisser mijoter de 30 à 35 minutes, jusqu'à ce que les lentilles soient tendres.

4. Répartir la soupe dans les bols et garnir chaque portion de coriandre.

—

LE SAVIEZ-VOUS ?

—

L'origine du dhal

Préparé avec des lentilles corail, ce mets originaire de l'Inde est tout indiqué quand on a envie de manger végétarien. En plus d'être hyperprotéiné, ce plat mijoté en douceur envoûte les narines et les papilles grâce au curcuma et au cumin qui entrent dans sa composition. Pour que le dépaysement soit total, proposez le dhal avec de la coriandre et du pain naan, au goût légèrement fumé, typique de la cuisine indienne.

PAR PORTION	
Calories	567
Protéines	29 g
Matières grasses	37 g
Glucides	32 g
Fibres	11 g
Fer	6 mg
Calcium	608 mg
Sodium	1 124 mg

Salade aux légumes marinés et haricots rouges

Préparation : 10 minutes – **Quantité :** 4 portions

- 30 ml (2 c. à soupe) d'huile de canola
- 15 ml (1 c. à soupe) de vinaigre de cidre
- 15 ml (1 c. à soupe) de persil haché
- 500 ml (2 tasses) de cheddar coupé en cubes
- 1 boîte de cœurs d'artichauts de 398 ml, rincés et égouttés
- 1 boîte de cœurs de palmier de 398 ml, rincés, égouttés et émincés
- 1 boîte de haricots rouges de 398 ml, rincés et égouttés
- 1 boîte d'épis de maïs miniatures de 398 ml, égouttés
- 250 ml (1 tasse) de tomates cerises coupées en deux
- 125 ml (½ tasse) d'olives noires
- Sel et poivre au goût

—

1. Dans un saladier, mélanger l'huile avec le vinaigre et le persil.

2. Ajouter le reste des ingrédients et remuer.

—

PAR PORTION	
Calories	531
Protéines	22 g
Matières grasses	6 g
Glucides	99 g
Fibres	10 g
Fer	7 mg
Calcium	72 mg
Sodium	237 mg

Macaroni sauce marinara aux lentilles

Préparation : 15 minutes – **Cuisson :** 20 minutes – **Quantité :** 4 portions

30 ml	(2 c. à soupe) d'huile d'olive
500 ml	(2 tasses) de mélange de légumes frais pour sauce à spaghetti
625 ml	(2 ½ tasses) de sauce marinara
250 ml	(1 tasse) de bouillon de légumes
15 ml	(1 c. à soupe) de thym haché
	Sel et poivre au goût
1	boîte de lentilles vertes de 398 ml, rincées et égouttées
655 ml	(environ 2 ⅔ tasses) de macaronis

—

1. Dans une casserole, chauffer l'huile à feu moyen. Cuire les légumes pour sauce à spaghetti de 2 à 3 minutes.

2. Ajouter la sauce marinara, le bouillon de légumes et le thym. Saler et poivrer. Laisser mijoter de 18 à 20 minutes à feu doux-moyen.

3. Incorporer les lentilles et cuire de 2 à 3 minutes.

4. Pendant ce temps, cuire les pâtes *al dente* dans une casserole d'eau bouillante salée. Égoutter. Servir avec la sauce marinara aux lentilles.

—

PAR PORTION	
Calories	575
Protéines	36 g
Matières grasses	32 g
Glucides	36 g
Fibres	8 g
Fer	2 mg
Calcium	786 mg
Sodium	1 020 mg

Sandwichs végé aux deux fromages

Préparation : 15 minutes – **Quantité** : 2 portions

1	petite courgette
80 ml	(⅓ de tasse) de houmous
60 ml	(¼ de tasse) de yogourt grec nature 0 %
4	tranches de pain multigrain
½	poivron rouge émincé
4	tranches de provolone
4	tranches de fromage Jarlsberg
	Quelques pousses de pois mange-tout

—

1. À l'aide d'une mandoline, émincer finement la courgette.

2. Dans un bol, mélanger le houmous avec le yogourt.

3. Garnir les pains de tartinade au houmous, de tranches de courgette, de poivron, de fromage et de pousses.

—

PAR PORTION	
Calories	311
Protéines	15 g
Matières grasses	10 g
Glucides	42 g
Fibres	10 g
Fer	3 mg
Calcium	214 mg
Sodium	1 700 mg

Soupe minestrone aux légumineuses

Préparation: 10 minutes – **Cuisson**: 22 minutes – **Quantité**: 4 portions

30 ml	(2 c. à soupe) d'huile d'olive
500 ml	(2 tasses) de mélange de légumes surgelés pour sauce à spaghetti
1	boîte de tomates en dés de 540 ml
1 litre	(4 tasses) de bouillon de légumes
1	boîte de haricots mélangés de 540 ml, rincés et égouttés
500 ml	(2 tasses) de bébés épinards
60 ml	(¼ de tasse) de parmesan râpé

—

1. Dans une casserole, chauffer l'huile à feu moyen. Cuire le mélange de légumes de 2 à 3 minutes.

2. Ajouter les tomates en dés et le bouillon de légumes. Porter à ébullition, puis laisser mijoter 15 minutes.

3. Ajouter les haricots et les bébés épinards. Cuire 5 minutes.

4. Au moment de servir, parsemer chacune des portions de parmesan.

—

PAR PORTION	
Calories	352
Protéines	15 g
Matières grasses	19 g
Glucides	31 g
Fibres	6 g
Fer	4 mg
Calcium	186 mg
Sodium	595 mg

Salade de lentilles à la méditerranéenne

Préparation : 20 minutes – **Cuisson** : 30 minutes – **Réfrigération** : 2 heures – **Quantité** : 4 portions

Pour les lentilles :

750 ml	(3 tasses) d'eau
180 ml	(¾ de tasse) de lentilles vertes du Puy sèches ou de lentilles françaises sèches
3	gousses d'ail
1	feuille de laurier
1	carotte coupée en gros tronçons
¼	d'oignon

Pour la vinaigrette :

45 ml	(3 c. à soupe) d'huile d'olive
45 ml	(3 c. à soupe) de vinaigre de vin rouge
20 ml	(4 c. à thé) de moutarde de Dijon

Pour la salade :

1	poivron rouge coupé en petits dés
1	mini-concombre coupé en petits dés
1	tomate italienne, le cœur retiré et coupée en petits dés
1	oignon vert émincé
160 ml	(⅔ de tasse) de feta coupée en dés
60 ml	(¼ de tasse) d'olives Kalamata tranchées
30 ml	(2 c. à soupe) de basilic émincé
30 ml	(2 c. à soupe) de persil plat émincé
	Sel et poivre au goût

—

1. Dans une casserole, porter à ébullition les ingrédients pour les lentilles. Couvrir et laisser mijoter 30 minutes à feu doux, jusqu'à ce que les lentilles soient tendres. Retirer l'ail, la feuille de laurier, les morceaux de carotte et l'oignon. Rincer les lentilles à l'eau froide et bien égoutter.

2. Dans un saladier, fouetter les ingrédients de la vinaigrette.

3. Ajouter les ingrédients de la salade et les lentilles dans le saladier. Bien mélanger. Réfrigérer au moins 2 heures avant de servir.

—

Recette de Ève Godin, nutritionniste

PAR PORTION	
Calories	497
Protéines	19 g
Matières grasses	22 g
Glucides	57 g
Fibres	4 g
Fer	2 mg
Calcium	321 mg
Sodium	1 374 mg

Macaroni au fromage, citrouille et houmous

Préparation: 20 minutes – **Cuisson**: 10 minutes – **Quantité**: 4 portions

500 ml	(2 tasses) de macaronis
30 ml	(2 c. à soupe) d'huile d'olive
15 ml	(1 c. à soupe) de farine de blé
125 ml	(½ tasse) de lait d'amandes ou de lait écrémé
125 ml	(½ tasse) de purée de citrouille non sucrée
375 ml	(1 ½ tasse) de mozzarella ou de cheddar râpé
60 ml	(¼ de tasse) de houmous
1 à 2	pincées de paprika
	Sel et poivre au goût

—

1. Dans une casserole d'eau bouillante salée, cuire les pâtes *al dente*. Égoutter.

2. Badigeonner l'intérieur de la casserole de 15 ml (1 c. à soupe) d'huile d'olive. Verser le reste de l'huile d'olive dans la casserole et chauffer à feu moyen. Ajouter la farine et chauffer 1 minute en remuant, jusqu'à l'obtention d'une consistance homogène et épaisse, sans laisser colorer.

3. Ajouter le lait et chauffer de 2 à 3 minutes en remuant constamment.

4. Ajouter la purée de citrouille, le fromage, le houmous et le paprika. Saler et poivrer. Chauffer en remuant jusqu'à ce que le fromage soit fondu.

5. Ajouter les pâtes à la sauce au fromage et réchauffer de 1 à 2 minutes en remuant.

—

Surprenant tofu

Le tofu n'est plus seulement l'apanage des végétariens ! En effet, il figure de plus en plus parmi les aliments communs, et pour cause : cette protéine de soya révèle un goût neutre qui absorbe rapidement la saveur des aliments, des condiments et des épices qui l'accompagnent. Voyez des idées pour l'apprécier à son meilleur !

Sauté de tofu et pêches, sauce satay

Préparation : 20 minutes – **Marinage :** 1 heure – **Cuisson :** 12 minutes
Quantité : 4 portions

PAR PORTION	
Calories	297
Protéines	15 g
Matières grasses	20 g
Glucides	22 g
Fibres	5 g
Fer	6 mg
Calcium	263 mg
Sodium	364 mg

1 bloc de tofu ferme de 300 g, coupé en cubes
250 ml (1 tasse) d'edamames
30 ml (2 c. à soupe) d'huile de sésame (non grillé)
1 poivron rouge coupé en petits cubes
1 piment thaï émincé
½ brocoli coupé en petits bouquets
2 pêches coupées en quartiers

Pour la marinade :

250 ml (1 tasse) de lait de coco léger
60 ml (¼ de tasse) de jus d'orange
30 ml (2 c. à soupe) de beurre d'arachide crémeux
30 ml (2 c. à soupe) de sauce soya réduite en sodium
15 ml (1 c. à soupe) de sambal oelek
15 ml (1 c. à soupe) de miel
1,25 ml (¼ de c. à thé) de curcuma

—

1. Dans un sac hermétique, déposer les ingrédients de la marinade et secouer. Ajouter le tofu et secouer de nouveau pour bien l'enrober de marinade. Retirer l'air du sac et laisser mariner de 1 à 2 heures au frais.

2. Au moment de la cuisson, égoutter les cubes de tofu en prenant soin de réserver la marinade.

3. Dans une casserole d'eau bouillante, cuire les edamames 5 minutes. Égoutter.

4. Dans une poêle, chauffer l'huile de sésame à feu moyen. Cuire les cubes de tofu de 3 à 4 minutes, jusqu'à ce qu'ils soient dorés et croustillants. Retirer de la poêle et réserver dans une assiette.

5. Dans la même poêle, cuire les légumes de 2 à 3 minutes. Réserver dans l'assiette contenant le tofu.

6. Ajouter les pêches dans la poêle et cuire 1 minute de chaque côté.

7. Remettre les légumes dans la poêle, puis ajouter la marinade réservée. Porter à ébullition.

8. Ajouter le tofu et réchauffer 1 minute.

—

J'aime parce que...

On intègre du tofu ni vu ni connu !

Vous en êtes encore à vos balbutiements en matière de tofu ? Ce sauté est parfait pour vous ! Ses légumes colorés et ses morceaux de pêches accompagnés d'une savoureuse sauce satay vous feront oublier la présence du tofu. Et si vous pensez qu'un sauté de tofu, ça ne goûte rien, ce plat vous fera certainement changer d'avis !

Gratin de légumes à la crème de tofu et fromage de chèvre

Préparation : 30 minutes – **Cuisson** : 30 minutes – **Quantité** : 4 portions

PAR PORTION	
Calories	365
Protéines	23 g
Matières grasses	22 g
Glucides	24 g
Fibres	5 g
Fer	4 mg
Calcium	335 mg
Sodium	378 mg

1	bloc de tofu soyeux mou (de type Sunrise) de 300 g
125 g	(environ ¼ de lb) de fromage de chèvre crémeux
125 ml	(½ tasse) de lait 2 %
	Sel et poivre au goût
3	tomates italiennes
1	courgette verte
1	courgette jaune
½	petite courge Butternut
½	oignon rouge
250 ml	(1 tasse) de mozzarella râpée
	Feuilles de basilic au goût (facultatif)

—

1. Préchauffer le four à 205 °C (400 °F)

2. Dans le contenant du mélangeur électrique, mélanger le tofu avec le fromage de chèvre et le lait jusqu'à l'obtention d'une préparation lisse. Saler et poivrer.

3. Verser la préparation dans une casserole et porter à ébullition à feu doux-moyen.

4. Couper les tomates, les courgettes, la courge et l'oignon rouge en tranches fines.

5. Beurrer un plat à gratin rond de 20 cm (8 po), puis y verser la sauce au tofu. Disposer les légumes en rosace dans le plat en les faisant alterner. Parsemer de mozzarella.

6. Cuire au four de 30 à 35 minutes.

7. Si désiré, parsemer de feuilles de basilic au moment de servir.

—

LE SAVIEZ-VOUS ?

—

Quel type de tofu choisir ?

L'univers du tofu vous paraît mystérieux ? Bien qu'il en existe plusieurs variétés sur le marché, on peut les classer en deux catégories : les tofus mous et les tofus fermes (mi-ferme, ferme et extra-ferme). Les premiers ont une texture lisse et la consistance d'une gelée. On les utilise en purée dans les sauces, les potages, les smoothies et les desserts. Certains tofus mous présentent toutefois une texture qui n'est pas suffisamment fine pour les smoothies : dans ce cas, privilégiez les tofus dessert. Les tofus fermes, quant à eux, ont une texture allant de moelleuse à granuleuse qui leur permet de tenir à la cuisson. On peut les couper, puis les faire frire, sauter, griller ou mijoter. Émiettés, ils remplacent la viande hachée dans les sauces à spaghetti, les chilis et les pâtés, ou bien ils servent de garniture pour les pizzas et sandwichs. Pour un max de protéines, préférez le tofu ferme.

Sauce bolognaise végé

Préparation : 20 minutes – **Cuisson :** 30 minutes – **Quantité :** 2 litres (8 tasses)

PAR PORTION	
250 ml (1 tasse)	
Calories	165
Protéines	16 g
Matières grasses	9 g
Glucides	12 g
Fibres	4 g
Fer	7 mg
Calcium	325 mg
Sodium	25 mg

30 ml	(2 c. à soupe) d'huile d'olive
2	oignons hachés finement
2	carottes pelées et coupées en petits cubes
2	branches de céleri hachées
2	gousses d'ail hachées finement
125 ml	(½ tasse) de vin blanc
3	blocs de tofu ferme de 350 g chacun, émietté
1	boîte de tomates broyées de 796 ml
250 ml	(1 tasse) d'eau
1	boîte de pâte de tomates de 156 ml
125 ml	(½ tasse) de lait 2 %
15 ml	(1 c. à soupe) d'assaisonnements italiens
1	feuille de laurier
	Sel et poivre au goût

—

1. Dans une grande casserole, chauffer l'huile à feu moyen. Faire dorer les oignons, les carottes, le céleri et l'ail 4 minutes.

2. Verser le vin blanc. Chauffer à feu moyen jusqu'à ce que le liquide ait réduit de moitié.

3. Incorporer le reste des ingrédients. Laisser mijoter à feu doux de 30 à 45 minutes à découvert en remuant fréquemment.

4. Rectifier l'assaisonnement au besoin. Servir avec des pâtes ou de la courge spaghetti.

—

J'aime parce que...

Du spaghetti, c'est 100 % réconfortant !

Faciles et rapides à cuisiner, les spaghettis s'accommodent à toutes les sauces. Et si chacun a sa recette de sauce maison, celle que l'on tient de maman nous réconforte autant qu'elle nous met l'eau à la bouche. Bourrée de légumes vitaminés et de tofu protéiné, cette sauce-ci adopte une *twist* délicieusement végé. Excellente solution de rechange à la viande, le tofu s'avère aussi plus économique. Qui plus est, les protéines qu'il contient nous fournissent de l'énergie et contribuent au développement de nos muscles. Faites-en l'essai !

Recette de Ève Godin, nutritionniste

Croustillants de tofu au sésame

PAR PORTION	
Calories	336
Protéines	24 g
Matières grasses	27 g
Glucides	17 g
Fibres	2 g
Fer	4 mg
Calcium	201 mg
Sodium	607 mg

Préparation: 15 minutes – **Marinage**: 15 minutes – **Cuisson**: 4 minutes
Quantité: 4 portions

- 60 ml (¼ de tasse) de sauce soya réduite en sodium
- 1 bloc de tofu extra-ferme de 454 g, coupé en huit tranches
- 60 ml (¼ de tasse) de farine
- 2 œufs
- 125 ml (½ tasse) de chapelure panko
- 60 ml (¼ de tasse) de graines de sésame grillées
- 45 ml (3 c. à soupe) d'huile de canola
- 60 ml (¼ de tasse) d'oignons verts hachés

—

1. Verser la sauce soya dans un plat creux. Ajouter les tranches de tofu et les retourner pour bien les imbiber de sauce soya. Laisser mariner de 15 minutes à 6 heures au frais.

2. Préparer trois assiettes creuses. Dans la première, verser la farine. Dans la deuxième, battre les œufs. Dans la troisième, mélanger la chapelure panko avec les graines de sésame. Fariner les tranches de tofu, les tremper dans les œufs battus, puis les enrober du mélange de chapelure.

3. Dans une poêle, chauffer l'huile de canola à feu moyen-élevé. Cuire les tranches de tofu de 2 à 3 minutes de chaque côté, jusqu'à ce qu'elles soient dorées.

4. Au moment de servir, parsemer d'oignons verts.

—

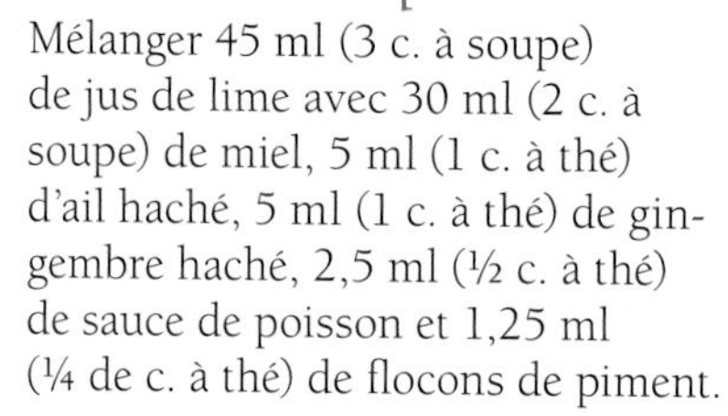

Sauce asiatique

Mélanger 45 ml (3 c. à soupe) de jus de lime avec 30 ml (2 c. à soupe) de miel, 5 ml (1 c. à thé) d'ail haché, 5 ml (1 c. à thé) de gingembre haché, 2,5 ml (½ c. à thé) de sauce de poisson et 1,25 ml (¼ de c. à thé) de flocons de piment.

Burger croustillant au tofu

Préparation : 20 minutes – **Cuisson :** 8 minutes – **Quantité :** 4 portions

PAR PORTION	
Calories	548
Protéines	20 g
Matières grasses	35 g
Glucides	43 g
Fibres	4 g
Fer	7 mg
Calcium	326 mg
Sodium	557 mg

45 ml (3 c. à soupe) d'huile d'olive
4 pains à hamburger de blé entier

Pour les galettes :

1 bloc de tofu ferme de 350 g
375 ml (1 ½ tasse) de chapelure panko
1 œuf battu
60 ml (¼ de tasse) de parmesan râpé
2 oignons verts émincés
1 carotte râpée
Sel et poivre au goût

Pour la sauce crémeuse :

80 ml (⅓ de tasse) de mayonnaise
10 ml (2 c. à thé) de fleur d'ail dans l'huile
5 ml (1 c. à thé) de sauce soya

—

1. Égoutter puis éponger le tofu avec du papier absorbant afin de retirer le maximum d'eau. Émietter le tofu, puis le déposer dans le contenant du robot culinaire.

2. Ajouter la moitié de la chapelure et l'œuf dans le contenant du robot. Mélanger jusqu'à l'obtention d'une consistance pâteuse.

3. Transférer la préparation dans un bol. Incorporer le reste des ingrédients des galettes, à l'exception de la chapelure restante.

4. Dans un autre bol, mélanger les ingrédients de la sauce crémeuse. Réserver au frais.

5. Façonner quatre galettes d'environ 2 cm (¾ de po) d'épaisseur avec la préparation au tofu. Verser le reste de la chapelure dans une assiette creuse et en enrober les galettes.

6. Dans une poêle, chauffer l'huile à feu moyen. Cuire les galettes de 4 à 5 minutes de chaque côté, jusqu'à ce qu'elles soient dorées.

7. Ouvrir les pains et les faire griller au four de 1 à 2 minutes à la position « gril » (*broil*).

8. Garnir chacun des pains d'une galette de tofu, de sauce crémeuse et, si désiré, de salsa de maïs et poivron (voir recette ci-dessous).

—

J'aime avec...

Salsa de maïs et poivron

Dans un saladier, mélanger 5 ml (1 c. à thé) d'ail haché avec 15 ml (1 c. à soupe) d'huile d'olive et 30 ml (2 c. à soupe) de coriandre hachée. Couper en dés ¼ de poivron rouge, ¼ d'oignon rouge et 1 tomate. Ajouter les dés de légumes dans le saladier avec 125 ml (½ tasse) de maïs en grains. Saler et poivrer. Remuer.

PAR PORTION	
3 croquettes	
Calories	293
Protéines	19 g
Matières grasses	15 g
Glucides	27 g
Fibres	5 g
Fer	8 mg
Calcium	351 mg
Sodium	654 mg

Croquettes végétariennes

Préparation : 20 minutes – **Cuisson** : 20 minutes – **Quantité** : 4 portions (12 croquettes)

30 ml	(2 c. à soupe) d'huile de canola
2	oignons hachés
2	gousses d'ail hachées
2	branches de céleri hachées
3	carottes pelées et râpées
2	œufs
1	bloc de tofu ferme de 454 g, égoutté, épongé et émietté
45 ml	(3 c. à soupe) de sauce soya réduite en sodium
15 ml	(1 c. à soupe) d'herbes de Provence
	Poivre au goût
125 ml	(½ tasse) de chapelure nature ou panko

—

1. Préchauffer le four à 190 °C (375 °F).

2. Dans une poêle, chauffer l'huile à feu moyen. Cuire les oignons 5 minutes.

3. Dans le contenant du robot culinaire, réduire en purée les oignons avec le reste des ingrédients, à l'exception de la chapelure.

4. Façonner douze croquettes en utilisant environ 60 ml (¼ de tasse) de préparation pour chacune d'elles.

5. Dans une assiette creuse, déposer la chapelure. Enrober les croquettes de chapelure, puis les déposer sur une plaque de cuisson tapissée de papier parchemin. Couvrir les croquettes d'une seconde feuille de papier parchemin et les aplatir avec un rouleau à pâte jusqu'à environ 2 cm (¾ de po) d'épaisseur. Retirer la seconde feuille de papier parchemin.

6. Cuire au four 20 minutes sur la grille du bas en retournant les croquettes à mi-cuisson, jusqu'à ce qu'elles soient dorées.

—

Recette de Charlotte Geroudet, nutritionniste

PAR PORTION	
Calories	414
Protéines	16 g
Matières grasses	12 g
Glucides	71 g
Fibres	3 g
Fer	3 mg
Calcium	152 mg
Sodium	1 662 mg

Vermicelles au tofu et légumes thaï

Préparation: 30 minutes – **Quantité**: 4 portions

225 g (½ lb) de vermicelles de riz

Pour la sauce:

- 60 ml (¼ de tasse) de cassonade
- 45 ml (3 c. à soupe) de sauce de poisson
- 45 ml (3 c. à soupe) de jus de lime
- 45 ml (3 c. à soupe) de jus de citron
- 30 ml (2 c. à soupe) de sauce soya réduite en sodium

Pour le sauté au tofu:

- 15 ml (1 c. à soupe) d'huile de canola
- 3 œufs battus
- 2 gousses d'ail hachées finement
- ½ bloc de tofu ferme de 454 g, égoutté, épongé et coupé en petits bâtonnets
- 500 ml (2 tasses) de haricots verts coupés en biseau
- 1 poivron rouge coupé en julienne
- 45 ml (3 c. à soupe) d'oignons verts hachés
- Quartiers de lime au goût

—

1. Réhydrater les vermicelles de riz selon les indications de l'emballage. Égoutter et réserver.

2. Dans un bol, mélanger les ingrédients de la sauce et réserver.

3. Dans une grande poêle, chauffer l'huile à feu moyen-élevé. Cuire les œufs battus et l'ail 30 secondes en remuant constamment, jusqu'à ce que les œufs soient pris.

4. Ajouter les bâtonnets de tofu et les faire dorer de 2 à 3 minutes sur toutes les faces.

5. Ajouter les vermicelles, la sauce et les légumes, puis cuire 5 minutes en remuant fréquemment, en prenant soin de conserver les légumes croquants.

6. Servir avec les quartiers de lime.

—

Recette de Ève Godin, nutritionniste

PAR PORTION	
Calories	443
Protéines	21 g
Matières grasses	28 g
Glucides	37 g
Fibres	6 g
Fer	8 mg
Calcium	338 mg
Sodium	327 mg

Salade thaï au tofu croustillant

Préparation : 30 minutes – **Quantité** : 4 portions

Pour le tofu croustillant :

125 ml	(½ tasse) de farine
1	œuf
180 ml	(¾ de tasse) de chapelure panko
1	bloc de tofu ferme de 454 g, égoutté et épongé
500 ml	(2 tasses) d'huile de canola

Pour la salade :

1	poivron rouge
2	oignons verts
2	carottes
2	courgettes
500 ml	(2 tasses) de chou chinois émincé

Pour la vinaigrette :

125 ml	(½ tasse) de lait de coco
15 ml	(1 c. à soupe) de sauce soya
15 ml	(1 c. à soupe) de jus de lime
15 ml	(1 c. à soupe) de beurre d'arachide croquant

1. Préparer trois assiettes creuses. Dans la première, verser la farine. Dans la deuxième, battre l'œuf. Dans la troisième, verser la chapelure.

2. Couper le tofu en cubes d'environ 2 cm (¾ de po). Fariner les cubes de tofu, les tremper dans l'œuf battu, puis les enrober de chapelure. Réserver dans une assiette.

3. Dans un saladier, mélanger les ingrédients de la vinaigrette.

4. Émincer le poivron et les oignons verts. Tailler les carottes et les courgettes en julienne.

5. Ajouter les légumes dans le saladier et remuer pour bien les enrober de vinaigrette.

6. Dans une casserole, chauffer l'huile à feu moyen. En procédant par petites quantités, faire dorer les cubes de tofu sur toutes les faces de 2 à 3 minutes en les retournant fréquemment. Retirer de la casserole et égoutter sur du papier absorbant.

7. Répartir la salade dans les assiettes. Garnir chacune des portions de dés de tofu.

—

PAR PORTION	
Calories	405
Protéines	22 g
Matières grasses	33 g
Glucides	18 g
Fibres	6 g
Fer	9 mg
Calcium	367 mg
Sodium	623 mg

Sauté de tofu à l'arachide

Préparation: 25 minutes – **Quantité**: 4 portions

Pour la sauce:

250 ml (1 tasse) de lait de coco
80 ml (⅓ de tasse) de beurre d'arachide croquant
30 ml (2 c. à soupe) de sauce soya
Sel et poivre au goût

Pour le sauté:

1 bloc de tofu ferme de 454 g
1 oignon
1 carotte
250 g (environ ½ lb) de brocolinis
30 ml (2 c. à soupe) d'huile de canola
30 ml (2 c. à soupe) de feuilles de coriandre

—

1. Dans un bol, fouetter les ingrédients de la sauce. Réserver.

2. Égoutter puis éponger le tofu avec du papier absorbant. Couper le tofu en cubes d'environ 2 cm (¾ de po).

3. Émincer l'oignon. Tailler la carotte en julienne et couper les brocolinis en morceaux.

4. Dans une grande poêle ou dans un wok, chauffer l'huile à feu moyen. Cuire les cubes de tofu de 3 à 4 minutes en remuant, jusqu'à ce qu'ils soient dorés sur toutes les faces. Retirer de la poêle et réserver dans une assiette.

5. Dans la même poêle, cuire les légumes de 2 à 3 minutes.

6. Verser la sauce et porter à ébullition. Ajouter le tofu et réchauffer 30 secondes en remuant.

7. Répartir la préparation dans les bols et garnir chaque portion de coriandre.

—

PAR PORTION	
Calories	209
Protéines	15 g
Matières grasses	12 g
Glucides	13 g
Fibres	4 g
Fer	6 mg
Calcium	283 mg
Sodium	100 mg

Tofu bourguignon

Préparation : 30 minutes – **Cuisson** : 30 minutes – **Quantité** : 4 portions

30 ml	(2 c. à soupe) d'huile d'olive
1	bloc de tofu ferme de 454 g, égoutté, épongé et coupé en gros cubes
250 ml	(1 tasse) d'oignons perlés épluchés
250 ml	(1 tasse) de carottes pelées et coupées en rondelles
500 ml	(2 tasses) de champignons café coupés en quartiers
30 ml	(2 c. à soupe) de pâte de tomates
125 ml	(½ tasse) de vin rouge
750 ml	(3 tasses) de bouillon de légumes
1	gousse d'ail hachée finement
	Sel et poivre au goût
1	tige de thym
30 ml	(2 c. à soupe) de fécule de maïs
30 ml	(2 c. à soupe) d'eau

1. Dans une poêle, chauffer la moitié de l'huile à feu élevé. Saisir les cubes de tofu jusqu'à ce que chacune de leurs faces soit dorée. Déposer sur du papier absorbant et réserver.

2. Dans une casserole, chauffer le reste de l'huile à feu moyen. Cuire les oignons perlés jusqu'à ce qu'ils soient tendres.

3. Ajouter les carottes et poursuivre la cuisson quelques minutes, jusqu'à ce qu'elles soient tendres.

4. Ajouter les champignons, la pâte de tomates, le vin rouge, le bouillon, l'ail et le tofu réservé. Saler, poivrer et ajouter la tige de thym. Porter à ébullition, puis couvrir et laisser mijoter 30 minutes à feu doux, jusqu'à ce que les légumes soient très tendres.

5. Dans un petit bol, délayer la fécule de maïs dans l'eau. Ajouter dans la casserole et mélanger. Porter à ébullition en remuant délicatement jusqu'à ce que la préparation épaississe.

—

Recette de Ève Godin, nutritionniste

PAR PORTION	
Calories	205
Protéines	15 g
Matières grasses	16 g
Glucides	17 g
Fibres	2 g
Fer	7 mg
Calcium	301 mg
Sodium	194 mg

Tofu style Général Tao

Préparation: 25 minutes – **Quantité**: 4 portions

Pour le tofu:

1	bloc de tofu ferme de 454 g
30 ml	(2 c. à soupe) de fécule de maïs
45 ml	(3 c. à soupe) d'huile de canola
1	gousse d'ail hachée finement
3	oignons verts hachés
	Graines de sésame au goût (facultatif)

Pour la sauce:

80 ml	(⅓ de tasse) d'eau
30 ml	(2 c. à soupe) de cassonade
30 ml	(2 c. à soupe) de sauce soya réduite en sodium
20 ml	(4 c. à thé) de ketchup réduit en sodium
20 ml	(4 c. à thé) de vinaigre de riz
15 ml	(1 c. à soupe) de fécule de maïs
2,5 ml	(½ c. à thé) de flocons de piment
2,5 ml	(½ c. à thé) d'huile de sésame grillé

—

1. Dans un bol, mélanger les ingrédients de la sauce. Réserver.

2. Couper le tofu en dés d'environ 2 cm (¾ de po). Éponger les dés de tofu avec du papier absorbant.

3. Dans un autre bol, déposer la fécule de maïs. Ajouter les dés de tofu et mélanger pour bien les enrober de fécule. Secouer entre les mains pour retirer l'excédent.

4. Dans une grande poêle ou dans un wok, chauffer la moitié de l'huile de canola à feu élevé. Cuire la moitié des cubes de tofu 4 minutes, jusqu'à ce qu'ils soient légèrement dorés sur toutes les faces. Retirer de la poêle et déposer sur du papier absorbant. Répéter avec le reste du tofu.

5. Dans la même poêle, cuire l'ail et les oignons verts quelques secondes. Verser la sauce et porter à ébullition.

6. Remettre les cubes de tofu dans la poêle et mélanger pour bien les enrober de sauce. Servir immédiatement. Si désiré, garnir de graines de sésame.

—

Recette de Ève Godin, nutritionniste

PAR PORTION	
Calories	362
Protéines	16 g
Matières grasses	20 g
Glucides	32 g
Fibres	5 g
Fer	6 mg
Calcium	255 mg
Sodium	740 mg

Sandwich aux œufs sans œuf

Préparation : 10 minutes – **Quantité :** 4 portions

- 4 tranches de pain blanc
- 4 tranches de pain de grains entiers
- 2 tomates émincées
- 1 contenant de pousses de pois mange-tout ou de tournesol de 100 g

Pour la garniture :

- 1 bloc de tofu ferme de 300 g, égoutté et épongé
- 80 ml (⅓ de tasse) de mayonnaise
- 15 ml (1 c. à soupe) de moutarde à l'ancienne
- 15 ml (1 c. à soupe) de sauce soya
- 15 ml (1 c. à soupe) de jus de citron
- 5 ml (1 c. à thé) de poudre d'oignons
- 2,5 ml (½ c. à thé) de curcuma
- ½ carotte râpée
- Sel et poivre au goût

—

1. Dans une assiette creuse, émietter le tofu à l'aide d'une fourchette.

2. Ajouter le reste des ingrédients de la garniture et mélanger.

3. Tartiner généreusement quatre tranches de pain blanc avec la préparation au tofu.

4. Garnir de tranches de tomates et de pousses de pois mange-tout.

5. Couvrir avec les tranches de pain de grains entiers.

—

PAR PORTION	
Calories	322
Protéines	24 g
Matières grasses	16 g
Glucides	28 g
Fibres	5 g
Fer	8 mg
Calcium	584 mg
Sodium	633 mg

Casserole de légumes et tofu

Préparation: 20 minutes – **Cuisson**: 10 minutes – **Quantité**: 4 portions

- 15 ml (1 c. à soupe) d'huile d'olive
- 1 bloc de tofu ferme de 454 g, égoutté, épongé et coupé en cubes
- 500 ml (2 tasses) de mélange de légumes à l'italienne surgelés, décongelés
- 10 ml (2 c. à thé) d'ail haché
- 1 boîte de tomates en dés de 540 ml, égouttées
- Sel et poivre au goût
- 250 ml (1 tasse) de fromage suisse râpé
- 80 ml (⅓ de tasse) de chapelure aux fines herbes

—

1. Préchauffer le four à 205 °C (400 °F).

2. Dans une grande poêle, chauffer l'huile d'olive à feu moyen. Cuire les cubes de tofu de 4 à 5 minutes, jusqu'à ce qu'ils soient légèrement dorés sur toutes les faces.

3. Ajouter le mélange de légumes et l'ail dans la poêle. Poursuivre la cuisson de 2 à 3 minutes.

4. Incorporer les tomates. Saler et poivrer.

5. Répartir la préparation dans quatre cassolettes ou ramequins, puis parsemer de fromage et de chapelure.

6. Cuire au four de 10 à 12 minutes, jusqu'à ce que le fromage gratine.

—

PAR PORTION	
Calories	245
Protéines	18 g
Matières grasses	14 g
Glucides	19 g
Fibres	10 g
Fer	6 mg
Calcium	349 mg
Sodium	80 mg

Aubergines à l'italienne

Préparation : 15 minutes – **Cuisson :** 33 minutes – **Quantité :** 4 portions

- 2 aubergines moyennes
- 30 ml (2 c. à soupe) d'huile d'olive
- 60 ml (¼ de tasse) d'oignons hachés
- 2 tomates italiennes pelées et coupées en dés
- 1 courgette râpée
- 1 bloc de tofu ferme de 454 g, égoutté, épongé et râpé
- 1 gousse d'ail hachée finement
- Sel et poivre au goût
- 30 ml (2 c. à soupe) de parmesan râpé
- 60 ml (¼ de tasse) de mozzarella râpée
- Quelques feuilles de basilic hachées

—

1. Couper les aubergines en deux sur la longueur, puis inciser la chair en quadrillé à l'aide d'un couteau. Badigeonner la chair des aubergines avec 15 ml (1 c. à soupe) d'huile d'olive et déposer dans une assiette. Cuire 12 minutes au micro-ondes à puissance maximale, jusqu'à ce que les aubergines soient cuites. Réserver.

2. Dans un plat, verser le reste de l'huile et ajouter les oignons. Couvrir d'une pellicule plastique et cuire 4 minutes au micro-ondes à puissance maximale, jusqu'à ce que les oignons soient tendres.

3. Retirer la chair des aubergines en prenant soin de ne pas transpercer la pelure. Réserver les pelures évidées. Hacher la chair et l'incorporer aux oignons. Ajouter les tomates, la courgette, le tofu, l'ail, le sel et le poivre. Bien mélanger. Couvrir à nouveau et cuire au micro-ondes 15 minutes à puissance maximale, jusqu'à ce que la préparation soit cuite. Incorporer le parmesan.

4. Garnir les pelures d'aubergines évidées de la préparation au tofu, puis couvrir de mozzarella. Cuire au micro-ondes à découvert 2 minutes à puissance maximale, jusqu'à ce que le fromage fonde (il ne dorera pas), ou faire gratiner au four à la position « gril » (*broil*) de 1 à 2 minutes.

5. Au moment de servir, garnir de basilic.

—

Recette de Ève Godin, nutritionniste

PAR PORTION	
Calories	284
Protéines	18 g
Matières grasses	18 g
Glucides	12 g
Fibres	1 g
Fer	2 mg
Calcium	299 mg
Sodium	319 mg

Tofu parmigiana

Préparation : 25 minutes – **Cuisson** : 5 minutes – **Quantité** : 4 portions

1	bloc de tofu ferme de 454 g
250 ml	(1 tasse) de chapelure panko ou de chapelure nature
60 ml	(¼ de tasse) de parmesan râpé
10 ml	(2 c. à thé) d'assaisonnements italiens
1	gousse d'ail hachée finement
	Sel et poivre au goût
2	œufs
30 ml	(2 c. à soupe) d'huile d'olive
250 ml	(1 tasse) de coulis de tomates
	Quelques feuilles de basilic
250 ml	(1 tasse) de mozzarella râpée

—

1. Couper le bloc de tofu en tranches d'environ 0,5 cm (¼ de po) d'épaisseur. Bien éponger les tranches à l'aide de papier absorbant.

2. Dans un bol, mélanger la chapelure avec 30 ml (2 c. à soupe) de parmesan, les assaisonnements italiens et l'ail. Saler et poivrer.

3. Dans un autre bol, battre les œufs.

4. Déposer les tranches de tofu dans les œufs battus, puis les enrober de chapelure.

5. Dans une poêle, chauffer l'huile à feu moyen. Faire dorer les tranches de tofu de 2 à 3 minutes de chaque côté.

6. Préchauffer le four à la position « gril » (*broil*).

7. Déposer les tranches de tofu dans un plat de cuisson et les couvrir de coulis de tomates. Parsemer de basilic, de mozzarella et du reste du parmesan. Faire gratiner au four 5 minutes.

—

Recette de Ève Godin, nutritionniste

Noix et Cie

Ingrédients incontournables de l'alimentation sans viande, les noix sont parfaites pour s'offrir un *boost* d'énergie ! Leur saveur et leurs atouts nutritifs les classent parmi les aliments qui s'accordent à une panoplie de mets. Plongez dans cette section pour savourer ces protéines à toutes les sauces !

Couscous aux légumes

Préparation : 25 minutes – **Cuisson :** 10 minutes – **Quantité :** 4 portions

PAR PORTION	
Calories	707
Protéines	25 g
Matières grasses	24 g
Glucides	102 g
Fibres	14 g
Fer	6 mg
Calcium	172 mg
Sodium	720 mg

- 15 ml (1 c. à soupe) d'huile d'olive
- 1 petit oignon rouge coupé en morceaux
- 15 ml (1 c. à soupe) d'ail haché
- 15 ml (1 c. à soupe) de ras el hanout
- 2 courgettes coupées en gros morceaux
- 2 carottes émincées
- 1 poivron orange coupé en morceaux
- 1 poivron jaune coupé en morceaux
- 12 tomates cerises
- 1 boîte de pois chiches de 540 ml, rincés et égouttés
- 1 litre (4 tasses) de bouillon de légumes
- Sel et poivre au goût

Pour le couscous :

- 375 ml (1 ½ tasse) de couscous
- 30 ml (2 c. à soupe) d'huile d'olive
- 5 ml (1 c. à thé) de cumin
- 60 ml (¼ de tasse) de persil haché
- 5 ml (1 c. à thé) de harissa
- Sel au goût
- Quelques feuilles de coriandre
- 125 ml (½ tasse) d'amandes non blanchies tranchées

—

1. Dans une casserole, chauffer l'huile d'olive à feu moyen. Cuire l'oignon rouge et l'ail 1 minute. Ajouter le ras el hanout, le reste des légumes, les pois chiches et le bouillon de légumes. Saler et poivrer. Remuer. Porter à ébullition, puis laisser mijoter 10 minutes à feu doux-moyen.

2. Prélever 375 ml (1 ½ tasse) du bouillon de cuisson.

3. Déposer le couscous dans un bol. Ajouter l'huile d'olive, le cumin, le persil, la harissa et le sel. Remuer. Verser le bouillon de cuisson réservé. Couvrir et laisser gonfler le couscous 5 minutes. Égrainer le couscous à l'aide d'une fourchette.

4. Dans des assiettes creuses, répartir le couscous. Garnir de la préparation aux légumes et pois chiches préparée à l'étape 1. Parsemer de coriandre et d'amandes tranchées.

—

J'aime avec…

Falafels maison

Dans le contenant du robot culinaire, déposer le contenu de 1 boîte de pois chiches de 540 ml rincés et égouttés, 45 ml (3 c. à soupe) de chapelure nature, 30 ml (2 c. à soupe) de graines de sésame, 15 ml (1 c. à soupe) de coriandre hachée, 15 ml (1 c. à soupe) de persil haché, 10 ml (2 c. à thé) d'ail haché, 2,5 ml (½ c. à thé) de cumin et 1 oignon haché. Saler et poivrer. Mélanger jusqu'à l'obtention d'une consistance pâteuse, sans toutefois réduire en purée lisse. Façonner 16 boulettes en utilisant environ 30 ml (2 c. à soupe) de préparation pour chacune d'elles. Dans une poêle, chauffer 15 ml (1 c. à soupe) d'huile d'olive à feu moyen. Faire dorer les boulettes de 2 à 3 minutes de chaque côté.

Salade de brocoli et noix de cajou

Préparation : 20 minutes – **Réfrigération :** 1 heure – **Quantité :** 4 portions

PAR PORTION	
Calories	587
Protéines	7 g
Matières grasses	46 g
Glucides	42 g
Fibres	3 g
Fer	3 mg
Calcium	55 mg
Sodium	175 mg

1 oignon rouge
2 brocolis
160 ml (⅔ de tasse) de canneberges séchées
250 ml (1 tasse) de noix de cajou grillées

Pour la vinaigrette :

125 ml (½ tasse) d'huile d'olive
60 ml (¼ de tasse) de sirop d'érable
60 ml (¼ de tasse) de ciboulette hachée
30 ml (2 c. à soupe) de moutarde à l'ancienne
30 ml (2 c. à soupe) de vinaigre balsamique
10 ml (2 c. à thé) d'ail haché
Sel et poivre au goût

—

1. Dans un saladier, fouetter les ingrédients de la vinaigrette.

2. Émincer l'oignon rouge et tailler les brocolis en petits bouquets.

3. Dans le saladier, ajouter le brocoli, l'oignon rouge, les canneberges et les noix de cajou. Remuer. Réfrigérer de 1 à 2 heures avant de servir.

—

PSST!
Salade de brocoli
+
pain à l'ail
=
21 g de protéines !

Miche de pain à l'ail

Quantité : 6 portions – 14 g de protéines par portion

Inciser le dessus de 1 miche de pain en damier, sans trancher complètement. Dans un petit bol, mélanger 80 ml (⅓ de tasse) de beurre fondu avec 20 ml (4 c. à thé) d'ail haché. À l'aide d'un pinceau, badigeonner généreusement la miche de beurre à l'ail. Garnir de 125 ml (½ tasse) de parmesan râpé. Cuire au four de 12 à 15 minutes à 190 °C (375 °F).

Pizza aux noix sur pain naan

Préparation : 15 minutes – **Cuisson :** 10 minutes – **Quantité :** 4 portions

PAR PORTION	
Calories	683
Protéines	24 g
Matières grasses	37 g
Glucides	71 g
Fibres	7 g
Fer	2 mg
Calcium	355 mg
Sodium	849 mg

4	pains naan aux oignons caramélisés
45 ml	(3 c. à soupe) d'huile d'olive
3	poires
15 ml	(1 c. à soupe) de jus de citron
250 ml	(1 tasse) de noix de Grenoble en demies
250 ml	(1 tasse) de raisins rouges coupés en deux
15 ml	(1 c. à soupe) de thym haché
30 ml	(2 c. à soupe) de ciboulette hachée
	Sel et poivre au goût
125 g	(environ ¼ de lb) de fromage de chèvre cendré tranché
250 ml	(1 tasse) de mozzarella râpée
30 ml	(2 c. à soupe) de miel
500 ml	(2 tasses) de roquette

—

1. Préchauffer le four à 205 °C (400 °F).

2. Sur une plaque de cuisson tapissée d'une feuille de papier parchemin, déposer les pains naan. Badigeonner les pains avec la moitié de l'huile d'olive.

3. Peler les poires, puis retirer le cœur. Émincer les poires.

4. Dans un saladier, déposer les poires avec le jus de citron, le reste de l'huile d'olive, les noix, les raisins et les fines herbes. Saler, poivrer et remuer délicatement.

5. Garnir les pains naan de fromage de chèvre et de la préparation aux poires et raisins. Couvrir de mozzarella.

6. Cuire au four de 10 à 12 minutes.

7. À la sortie du four, garnir chaque pizza d'un filet de miel et de roquette.

—

J'aime parce que...

C'est simple et bourré de protéines !

Procurant un max de protéines (24 g par portion !), cette savoureuse pizza aux noix est parfaite pour un vendredi soir relax ou un lundi soir pressé. Puisqu'elle est préparée sur du pain naan, on évite l'étape de préparation de la pâte tout en ayant une pizza tendre et croustillante à la fois. Et que dire de son goût ? Poires, raisins, noix de Grenoble et fromage de chèvre s'allient de façon tout à fait divine !

Salade de roquette, pomme et noix

Préparation: 10 minutes – **Quantité**: 4 portions

PAR PORTION	
avec la vinaigrette	
Calories	420
Protéines	15 g
Matières grasses	35 g
Glucides	18 g
Fibres	5 g
Fer	4 mg
Calcium	521 mg
Sodium	348 mg

750 ml	(3 tasses) de roquette
1	pomme tranchée
180 ml	(¾ de tasse) de noix de Grenoble concassées
1	petit oignon rouge émincé
160 ml	(⅔ de tasse) de copeaux de parmesan

—

1. Dans un saladier, mélanger la roquette avec les tranches de pomme, les noix de Grenoble et l'oignon rouge.

2. Si désiré, incorporer la vinaigrette balsamique (voir la recette ci-dessous).

3. Répartir la salade dans les assiettes. Garnir de copeaux de parmesan.

—

J'aime avec...

Vinaigrette balsamique

Fouetter 10 ml (2 c. à thé) de moutarde de Dijon avec 30 ml (2 c. à soupe) de vinaigre balsamique et 60 ml (¼ de tasse) d'huile d'olive. Saler et poivrer.

Salade de quinoa colorée

Préparation : 20 minutes – **Cuisson :** 15 minutes – **Quantité :** 4 portions

PAR PORTION	
Calories	565
Protéines	15 g
Matières grasses	35 g
Glucides	53 g
Fibres	6 g
Fer	5 mg
Calcium	71 mg
Sodium	154 mg

250 ml (1 tasse) de quinoa
500 ml (2 tasses) d'eau
250 ml (1 tasse) d'edamames
1 petit oignon rouge
2 oignons verts
1 poivron rouge
180 ml (¾ de tasse) de noix de cajou rôties
15 ml (1 c. à soupe) de menthe hachée
Sel et poivre au goût

Pour la vinaigrette :

80 ml (⅓ de tasse) d'huile d'arachide
30 ml (2 c. à soupe) de vinaigre de riz
30 ml (2 c. à soupe) de gingembre haché
30 ml (2 c. à soupe) de jus de lime
15 ml (1 c. à soupe) de miel
15 ml (1 c. à soupe) de sauce soya réduite en sodium
10 ml (2 c. à thé) de zestes de lime
5 ml (1 c. à thé) de flocons de piment

—

1. À l'aide d'une passoire fine, rincer le quinoa sous l'eau froide.

2. Dans une grande casserole, déposer le quinoa et verser l'eau. Saler et porter à ébullition. Couvrir et cuire le quinoa à feu moyen de 15 à 18 minutes, jusqu'à ce que le liquide soit complètement absorbé. Retirer du feu et laisser tiédir.

3. Pendant la cuisson du quinoa, cuire les edamames 5 minutes dans une casserole d'eau bouillante. Égoutter et rincer sous l'eau froide.

4. Dans un saladier, mélanger les ingrédients de la vinaigrette.

5. Émincer l'oignon rouge et les oignons verts. Couper le poivron rouge en dés.

6. Dans le saladier, déposer les ingrédients de la salade et remuer.

—

LE SAVIEZ-VOUS ?

—

Un grain ultranourrissant

Bourré de nutriments, le quinoa ? Certainement ! Issu de la même famille que les épinards et les betteraves, ce petit grain sans gluten se démarque par sa teneur élevée en protéines de haute qualité et en fibres alimentaires. Par exemple, une portion de 125 ml (½ tasse) de quinoa cuit renferme 4 g de protéines et autant de fibres qu'une portion équivalente de riz brun cuit ou qu'une tranche de pain de blé entier. De plus, puisque c'est une source de vitamine B2 et de minéraux (fer et zinc), c'est un aliment que les végétariens devraient privilégier. Avant de le cuire, il faut bien le rincer afin de retirer toute trace de saponine, laquelle est susceptible de donner au quinoa un goût amer.

PAR PORTION	
Calories	458
Protéines	17 g
Matières grasses	28 g
Glucides	38 g
Fibres	7 g
Fer	2 mg
Calcium	276 mg
Sodium	827 mg

Grilled cheese aux poires et amandes avec salade de chou et raisins

Préparation : 10 minutes – **Cuisson :** 4 minutes – **Quantité :** 4 portions

- 8 tranches de pain multigrain
- 60 ml (¼ de tasse) de beurre ramolli
- 150 g (⅓ de lb) de fromage bleu tranché
- 5 ml (1 c. à thé) de thym haché
- 2 poires émincées
- 60 ml (¼ de tasse) d'amandes tranchées

Pour la salade de chou et raisins :

- 80 ml (⅓ de tasse) de mayonnaise
- 60 ml (¼ de tasse) de crème sure 14 %
- 30 ml (2 c. à soupe) de vinaigre de cidre
- 30 ml (2 c. à soupe) de persil haché
- 15 ml (1 c. à soupe) de sucre
- Sel et poivre au goût
- 125 ml (½ tasse) de raisins secs
- 750 ml (3 tasses) de chou vert émincé
- 60 ml (¼ de tasse) d'amandes tranchées grillées
- 2 oignons verts émincés

—

1. Dans un saladier, mélanger la mayonnaise avec la crème sure, le vinaigre de cidre, le persil et le sucre. Saler et poivrer. Ajouter les raisins, le chou, les amandes et les oignons verts. Remuer et réserver.

2. Tartiner un seul côté des tranches de pain avec le beurre. Répartir les tranches de fromage sur le côté non beurré de quatre tranches de pain. Parsemer de thym. Garnir de tranches de poires et d'amandes. Fermer les sandwichs, côté beurré du pain à l'extérieur.

3. Chauffer une poêle antiadhésive à feu moyen. Cuire les grilled cheese de 2 à 3 minutes de chaque côté, jusqu'à ce que le fromage fonde et que le pain dore. Servir avec la salade de chou et raisins.

—

PAR PORTION	
Calories	673
Protéines	27 g
Matières grasses	31 g
Glucides	73 g
Fibres	5 g
Fer	3 mg
Calcium	189 mg
Sodium	436 mg

Pennes au brie et noix de Grenoble

Préparation : 15 minutes – **Cuisson** : 12 minutes – **Quantité** : 4 portions

750 ml	(3 tasses) de pennes
30 ml	(2 c. à soupe) d'huile d'olive
1	oignon haché
80 ml	(⅓ de tasse) de noix de Grenoble en morceaux
80 ml	(⅓ de tasse) de mélange laitier pour cuisson 5 %
12	tomates cerises coupées en deux
30 ml	(2 c. à soupe) de basilic émincé
	Sel et poivre au goût
200 g	(environ ½ lb) de brie coupé en dés
60 ml	(¼ de tasse) de copeaux de parmesan

—

1. Dans une casserole d'eau bouillante salée, cuire les pâtes *al dente*. Égoutter.

2. Dans la même casserole, chauffer l'huile à feu moyen. Cuire l'oignon et les noix de Grenoble de 1 à 2 minutes.

3. Ajouter le mélange laitier, les tomates cerises, les pâtes et le basilic. Saler et poivrer. Cuire de 1 à 2 minutes.

4. Incorporer le brie et le parmesan.

—

PAR PORTION	
Calories	530
Protéines	24 g
Matières grasses	16 g
Glucides	72 g
Fibres	6 g
Fer	4 mg
Calcium	397 mg
Sodium	360 mg

Salade de gemellis au cari et gouda

Préparation : 15 minutes – **Cuisson :** 10 minutes – **Quantité :** 4 portions

750 ml	(3 tasses) de gemellis
125 ml	(½ tasse) de yogourt nature 0 %
15 ml	(1 c. à soupe) de cari
60 ml	(¼ de tasse) de persil haché
	Sel et poivre au goût
125 ml	(½ tasse) de mélange de fruits séchés et de noix au choix
150 g	(⅓ de lb) de gouda coupé en dés
1	carotte râpée
3	oignons verts hachés

—

1. Dans une casserole d'eau bouillante salée, cuire les pâtes *al dente*. Rincer sous l'eau froide et égoutter.

2. Dans un saladier, fouetter le yogourt avec le cari et le persil. Saler et poivrer.

3. Dans le saladier, ajouter les pâtes, le mélange de fruits séchés et de noix, le gouda, la carotte ainsi que les oignons verts. Remuer.

—

PAR PORTION	
Calories	840
Protéines	17 g
Matières grasses	54 g
Glucides	81 g
Fibres	11 g
Fer	6 mg
Calcium	132 mg
Sodium	92 mg

Salade de quinoa à la carotte, raisins, coriandre et pistaches

Préparation : 25 minutes – **Cuisson :** 15 minutes – **Réfrigération :** 2 heures – **Quantité :** 4 portions

- 500 ml (2 tasses) de jus de carotte
- 250 ml (1 tasse) de quinoa blanc rincé et égoutté
- 125 ml (½ tasse) de graines de citrouille non salées
- 125 ml (½ tasse) de graines de tournesol non salées
- 125 ml (½ tasse) de noix de pin
- Sel et poivre au goût
- 2 à 3 carottes multicolores avec la peau taillées en tranches fines
- 180 ml (¾ de tasse) de raisins blonds secs
- 4 oignons verts émincés
- 125 ml (½ tasse) de persil haché
- 180 ml (¾ de tasse) de coriandre hachée

Pour la vinaigrette :

- 125 ml (½ tasse) d'huile d'olive
- 30 ml (2 c. à soupe) de vinaigre de riz
- 30 ml (2 c. à soupe) de gingembre râpé
- 1 gros citron (zeste et jus)
- Piment d'Espelette au goût
- Sel et poivre au goût

—

1. Dans une casserole, porter à ébullition le jus de carotte avec 5 ml (1 c. à thé) de sel et le quinoa. Couvrir et laisser mijoter à feu doux de 15 à 18 minutes. Retirer du feu et laisser reposer 5 minutes. À l'aide d'une fourchette, égrainer délicatement le quinoa. Laisser refroidir complètement.

2. Préchauffer le four à 180 °C (350 °F). Étaler les graines de citrouille, les graines de tournesol et les noix de pin sur une plaque de cuisson. Faire dorer au four de 8 à 10 minutes. Saler et poivrer, puis laisser tiédir.

3. Dans un saladier, mélanger les ingrédients de la vinaigrette.

4. Ajouter les tranches de carottes, les raisins, les oignons verts, le quinoa, les graines et les noix rôties ainsi que les fines herbes dans le saladier. Mélanger et réserver au frais de 2 à 3 heures avant de servir.

—

PAR PORTION	
Calories	516
Protéines	15 g
Matières grasses	21 g
Glucides	70 g
Fibres	6 g
Fer	5 mg
Calcium	75 mg
Sodium	74 mg

Rotinis au pesto de roquette, tomates et asperges

Préparation: 25 minutes – **Cuisson**: 10 minutes – **Quantité**: 4 portions

Pour le pesto de roquette:

- 125 ml (½ tasse) d'huile d'olive
- 2 gousses d'ail pelées et coupées en gros morceaux
- 125 ml (½ tasse) de noix de Grenoble
- 5 olives vertes dénoyautées
- 500 ml (2 tasses) de roquette bien tassée
- 125 ml (½ tasse) de parmesan râpé

Pour les pâtes:

- 1 litre (4 tasses) de rotinis
- 16 asperges
- 45 ml (3 c. à soupe) d'huile d'olive
- 12 tomates cerises coupées en deux
- 1 petit oignon rouge émincé
- Sel et poivre au goût

—

1. Dans le contenant du mélangeur électrique, verser la moitié de l'huile pour le pesto. Ajouter l'ail, les noix et les olives. Mélanger quelques secondes. Ajouter la roquette et le reste de l'huile peu à peu en donnant quelques impulsions entre chaque addition. Ajouter le parmesan et mélanger quelques secondes. Réserver 60 ml (¼ de tasse) de pesto. Déposer le reste du pesto dans un contenant hermétique. Ce pesto se conserve environ 2 semaines au frais.

2. Dans une casserole d'eau bouillante salée, cuire les pâtes *al dente*. Ajouter les asperges dans la casserole 3 minutes avant la fin de la cuisson des pâtes. Égoutter.

3. Dans la même casserole, chauffer l'huile à feu moyen. Saisir les tomates cerises et l'oignon rouge 1 minute.

4. Ajouter les pâtes et les asperges. Saler, poivrer et remuer. Cuire 1 minute.

5. Au moment de servir, incorporer le pesto de roquette réservé à l'étape 1.

—

PAR PORTION	
Calories	590
Protéines	15 g
Matières grasses	20 g
Glucides	92 g
Fibres	10 g
Fer	4 mg
Calcium	95 mg
Sodium	556 mg

Mijoté de légumes à la marocaine

Préparation : 25 minutes – **Cuisson** : 25 minutes – **Quantité** : 4 portions

- 30 ml (2 c. à soupe) d'huile d'olive
- 1 oignon émincé
- 15 ml (1 c. à soupe) de gingembre haché
- 2 gousses d'ail émincées
- 2 carottes coupées en cubes
- 2 courgettes coupées en cubes
- 3 pommes de terre coupées en cubes
- ½ courge musquée coupée en cubes
- 2,5 ml (½ c. à thé) de cumin
- 2,5 ml (½ c. à thé) de cannelle
- 6 à 8 pistils de safran
- 750 ml (3 tasses) de bouillon de légumes
- 80 ml (⅓ de tasse) de raisins secs
- Sel et poivre au goût
- 125 ml (½ tasse) de noix de cajou grillées hachées
- 30 ml (2 c. à soupe) de coriandre hachée

Pour le couscous :

- 250 ml (1 tasse) de couscous
- 30 ml (2 c. à soupe) de menthe hachée
- 30 ml (2 c. à soupe) de persil haché
- 15 ml (1 c. à soupe) de zestes de citron
- 15 ml (1 c. à soupe) d'huile d'olive
- Sel et poivre au goût

—

1. Dans une casserole à fond épais ou dans une cocotte, chauffer l'huile à feu moyen. Cuire l'oignon avec le gingembre et l'ail de 1 à 2 minutes.

2. Ajouter les légumes en cubes, les épices, le bouillon et les raisins. Saler et poivrer. Porter à ébullition. Couvrir et laisser mijoter à feu doux-moyen 25 minutes.

3. Pendant ce temps, mélanger les ingrédients du couscous dans un bol. Verser 250 ml (1 tasse) d'eau bouillante. Couvrir et laisser gonfler 5 minutes. Égrainer le couscous à l'aide d'une fourchette.

4. Ajouter les noix de cajou et la coriandre dans la casserole. Remuer. Servir avec le couscous.

—

PAR PORTION	
Calories	566
Protéines	19 g
Matières grasses	22 g
Glucides	73 g
Fibres	10 g
Fer	5 mg
Calcium	106 mg
Sodium	145 mg

Poêlée de quinoa aux pacanes et fromage de chèvre

Préparation : 15 minutes – **Cuisson :** 20 minutes – **Quantité :** 4 portions

500 ml	(2 tasses) de quinoa
1 litre	(4 tasses) d'eau
½	contenant de petits fromages de chèvre marinés dans l'huile (de type Capriati) de 200 g
125 ml	(½ tasse) de pacanes hachées grossièrement
1	sac de julienne de légumes (de type Saladexpress) de 340 g
	Sel et poivre au goût
125 ml	(½ tasse) de persil émincé

—

1. À l'aide d'une passoire fine, rincer le quinoa à l'eau froide. Égoutter. Dans une casserole, porter l'eau à ébullition. Saler. Déposer le quinoa dans l'eau bouillante. Cuire de 15 à 20 minutes à feu doux. Retirer du feu et couvrir. Laisser gonfler 5 minutes.

2. Dans une grande poêle, verser 125 ml (½ tasse) d'huile de conservation des fromages. Chauffer l'huile à feu moyen. Faire griller les pacanes en remuant.

3. Incorporer le quinoa et la julienne de légumes. Cuire 5 minutes à feu doux. Saler et poivrer. Ajouter le persil. Répartir immédiatement dans des assiettes creuses. Garnir de fromages de chèvre.

—

PAR PORTION	
Calories	754
Protéines	20 g
Matières grasses	43 g
Glucides	78 g
Fibres	8 g
Fer	8 mg
Calcium	278 mg
Sodium	810 mg

Salade d'épinards à la chinoise

Préparation : 25 minutes – **Cuisson :** 12 minutes – **Quantité :** 4 portions

- 180 ml (¾ de tasse) de riz basmati
- 375 ml (1 ½ tasse) d'eau
- 2,5 ml (½ c. à thé) de sel
- 250 ml (1 tasse) d'edamames
- 2 poivrons rouges
- 1 grosse branche de céleri
- 45 ml (3 c. à soupe) d'oignons verts hachés
- 180 ml (¾ de tasse) de fèves germées
- 180 ml (¾ de tasse) de champignons émincés
- 160 ml (⅔ de tasse) de noix de cajou grossièrement hachées
- 125 ml (½ tasse) de raisins secs
- Sel et poivre au goût
- 2 contenants de bébés épinards de 142 g chacun

Pour la vinaigrette :

- 125 ml (½ tasse) d'huile d'olive
- 45 ml (3 c. à soupe) de tamari ou de sauce soya réduite en sodium
- 45 ml (3 c. à soupe) de sirop d'érable
- 45 ml (3 c. à soupe) de vinaigre de riz
- 20 ml (4 c. à thé) d'ail haché

—

1. Rincer le riz sous l'eau froide. Bien égoutter. Déposer le riz dans une casserole avec l'eau et le sel. Porter à ébullition à feu moyen. Couvrir et laisser mijoter à feu doux de 12 à 15 minutes, jusqu'à ce que le riz soit cuit. Retirer du feu. Égrainer le riz à l'aide d'une fourchette. Laisser tiédir.

2. Dans une casserole d'eau bouillante salée, cuire les edamames 5 minutes. Égoutter et laisser tiédir.

3. Dans un saladier, mélanger les ingrédients de la vinaigrette.

4. Émincer les poivrons et la branche de céleri.

5. Dans le saladier, ajouter les ingrédients de la salade et remuer.

—

Céréales et grains en vedette

Pâtes alimentaires, quinoa, couscous et autres céréales vous convient à un festin façon végé. Vous verrez, les ingrédients nutritifs et goûteux qui les accompagnent vous feront vite oublier l'absence de viande. Il y en a pour tous les goûts : gâtez-vous !

PAR PORTION	
Calories	451
Protéines	21 g
Matières grasses	16 g
Glucides	59 g
Fibres	7 g
Fer	2 mg
Calcium	285 mg
Sodium	794 mg

Lasagne aux légumes

Préparation : 20 minutes – **Cuisson :** 40 minutes – **Quantité :** de 4 à 6 portions

- 16 lasagnes
- 30 ml (2 c. à soupe) d'huile d'olive
- 1 oignon haché
- 15 ml (1 c. à soupe) d'ail haché
- 3 poivrons de couleurs variées émincés
- 2 courgettes émincées
- Sel et poivre au goût
- 625 ml (2 ½ tasses) de sauce tomate
- 15 ml (1 c. à soupe) d'assaisonnements italiens
- 500 ml (2 tasses) de mélange de quatre fromages italiens râpés

—

1. Préchauffer le four à 205 °C (400 °F).

2. Dans une casserole d'eau bouillante salée, cuire les pâtes *al dente*. Égoutter.

3. Dans une poêle, chauffer l'huile à feu moyen. Cuire l'oignon et l'ail de 1 à 2 minutes.

4. Ajouter les poivrons et les courgettes. Poursuivre la cuisson de 4 à 5 minutes. Saler et poivrer.

5. Dans une autre casserole, porter à ébullition la sauce tomate avec les assaisonnements italiens à feu moyen-élevé.

6. Dans un plat de cuisson de 33 cm x 23 cm (13 po x 9 po), verser un peu de sauce tomate. Couvrir avec quatre lasagnes, puis avec le tiers des légumes. Napper du tiers de la sauce. Répéter ces étapes deux fois et couvrir avec les lasagnes restantes. Parsemer de fromage.

7. Cuire au four de 30 à 35 minutes.

—

LE SAVIEZ-VOUS?

—

Quel type de pâtes privilégier ?

Parce qu'elles sont plus complètes, les pâtes faites de grains de blé entier offrent un max de nutriments (vitamines et minéraux). Procurant jusqu'à deux fois plus de fibres alimentaires (2,4 g par portion de 125 ml – ½ tasse pour les spaghettis de blé entier comparé à 1,3 g pour la même portion de spaghettis enrichis), ce type de pâtes favorise une bonne santé digestive et cardiovasculaire. Qu'en est-il des pâtes blanches ? Celles faites au Canada doivent être enrichies de vitamines du complexe B et de fer, contrairement aux pâtes blanches provenant d'Italie ou d'ailleurs. Elles sont aussi légèrement plus protéinées que les pâtes de blé entier.

PAR PORTION	
Calories	519
Protéines	15 g
Matières grasses	31 g
Glucides	47 g
Fibres	4 g
Fer	2 mg
Calcium	68 mg
Sodium	190 mg

Taboulé rosé

Préparation : 20 minutes – **Réfrigération :** 10 minutes – **Quantité :** 4 portions

250 ml	(1 tasse) de couscous
15 ml	(1 c. à soupe) d'huile d'olive
	Sel et poivre au goût
250 ml	(1 tasse) d'eau bouillante
½	oignon rouge
1	poivron jaune
2 à 3	petites betteraves cuites
150 g	(⅓ de lb) de fromage de chèvre (de type La Bûchette) émietté
60 ml	(¼ de tasse) de noix de pin grillées

Pour la vinaigrette :

60 ml	(¼ de tasse) d'huile d'olive
30 ml	(2 c. à soupe) de jus de citron
30 ml	(2 c. à soupe) de persil haché
30 ml	(2 c. à soupe) de menthe hachée
30 ml	(2 c. à soupe) de ciboulette hachée
10 ml	(2 c. à thé) d'ail haché
	Sel et poivre au goût

—

1. Dans un bol, mélanger le couscous avec l'huile d'olive. Saler et poivrer.

2. Verser l'eau bouillante dans le bol. Couvrir et laisser gonfler 5 minutes.

3. Égrainer le couscous à l'aide d'une fourchette. Laisser tiédir 10 minutes, puis réfrigérer 10 minutes.

4. Pendant ce temps, mélanger les ingrédients de la vinaigrette dans un saladier.

5. Couper l'oignon rouge, le poivron et les betteraves en dés. Déposer les légumes dans le saladier avec le couscous refroidi. Remuer délicatement.

6. Répartir dans les assiettes. Parsemer chacune des portions de fromage de chèvre et de noix de pin grillées.

—

—

La betterave est pleine de vertus

En plus d'être l'un des légumes ayant le meilleur pouvoir antioxydant, la betterave contient une bonne dose de fibres : une portion de 125 ml (½ tasse) de betteraves bouillies fournit 1,8 g de fibres alimentaires. Qu'elle soit rouge violacé, jaune-orangé ou encore blanche striée de rose, la betterave est un légume racine qui nous invite à voir nos menus en couleurs ! Crue, elle ajoute du croquant aux salades et aux taboulés. Cuite, elle confère un goût sucré aux soupes et aux potages. Pour conserver ses vertus nutritives, on la cuit entière sans la peler avant de l'intégrer aux recettes. Vous manquez de temps ? Sachez que les supermarchés offrent des betteraves emballées sous vide prêtes à l'emploi.

Spaghettis aux tomates cerises et poivrons rouges

Préparation : 20 minutes – **Cuisson :** 20 minutes – **Quantité :** 4 portions

PAR PORTION	
Calories	566
Protéines	21 g
Matières grasses	18 g
Glucides	81 g
Fibres	7 g
Fer	3 mg
Calcium	163 mg
Sodium	178 mg

2 poivrons rouges coupés en cubes

30 tomates cerises de couleurs variées

1 oignon émincé

15 ml (1 c. à soupe) de thym haché

15 ml (1 c. à soupe) d'origan haché

30 ml (2 c. à soupe) d'huile d'olive

Sel et poivre au goût

350 g (environ ¾ de lb) de spaghettis

Pour garnir :

45 ml (3 c. à soupe) de petites feuilles de basilic

125 g (environ ¼ de lb) de fromage de chèvre émietté

—

1. Préchauffer le four à 180 °C (350 °F).

2. Sur une plaque de cuisson tapissée d'une feuille de papier parchemin, déposer les poivrons, les tomates cerises, l'oignon et les fines herbes. Verser l'huile d'olive en filet sur les légumes. Saler et poivrer. Cuire au four de 20 à 25 minutes.

3. Pendant ce temps, cuire les pâtes *al dente* dans une casserole d'eau bouillante salée. Égoutter.

4. Répartir les pâtes dans les assiettes. Garnir de légumes grillés, de feuilles de basilic et de fromage de chèvre. Poivrer.

—

J'aime avec...

Croûtons à la fleur d'ail

Dans une petite casserole, faire fondre 45 ml (3 c. à soupe) de beurre avec 15 ml (1 c. à soupe) de fleur d'ail dans l'huile à feu doux. Badigeonner 12 tranches de pain baguette avec le beurre à la fleur d'ail. Déposer les tranches de pain sur une plaque de cuisson. Faire dorer au four 2 minutes à la position « gril » (*broil*).

Salade de couscous israélien, pomme et menthe

Préparation : 20 minutes – **Cuisson :** 11 minutes – **Quantité :** 4 portions

PAR PORTION	
Calories	725
Protéines	16 g
Matières grasses	30 g
Glucides	100 g
Fibres	13 g
Fer	3 mg
Calcium	77 mg
Sodium	688 mg

- 15 ml (1 c. à soupe) d'huile d'olive
- 500 ml (2 tasses) de couscous israélien
- 1 litre (4 tasses) de bouillon de légumes
- 1 tomate italienne
- ½ concombre anglais
- 1 pomme verte
- ½ oignon rouge
- 1 avocat
- 80 ml (⅓ de tasse) de persil haché
- 80 ml (⅓ de tasse) de menthe hachée

Pour la vinaigrette :

- 80 ml (⅓ de tasse) d'huile d'olive
- 45 ml (3 c. à soupe) de zestes de citron
- 45 ml (3 c. à soupe) de vinaigre de cidre
- 20 ml (4 c. à thé) de miel
- Sel et poivre au goût

—

1. Dans une casserole, chauffer l'huile à feu moyen. Ajouter le couscous et remuer pour l'enrober d'huile. Cuire de 3 à 4 minutes à feu doux-moyen en remuant de temps en temps, jusqu'à ce que le couscous commence à brunir légèrement et à dégager ses arômes.

2. Verser le bouillon dans la casserole et porter à ébullition. Couvrir et laisser mijoter de 8 à 10 minutes à feu doux, jusqu'à ce que le liquide soit absorbé.

3. Pendant ce temps, mélanger les ingrédients de la vinaigrette dans un bol.

4. Une fois le couscous cuit, transférer dans un saladier et laisser tiédir.

5. Couper la tomate, le concombre anglais, la pomme et l'oignon rouge en dés. Peler l'avocat et le couper en dés.

6. Dans le saladier, ajouter les légumes et les fruits, puis remuer. Verser la vinaigrette et ajouter les fines herbes. Remuer délicatement.

—

J'aime parce que...

Ça fait changement !

Semblable à une petite pâte ronde, le couscous israélien (ou couscous de Jérusalem) fait souffler un vent de changement dans nos salades. Avant de le cuire dans l'eau bouillante, on le fait griller dans un peu d'huile, ce qui lui confère un délicieux goût de noisette. Offert dans la plupart des supermarchés.

PAR PORTION	
avec la vinaigrette	
Calories	670
Protéines	15 g
Matières grasses	35 g
Glucides	79 g
Fibres	7 g
Fer	5 mg
Calcium	137 mg
Sodium	657 mg

Salade fraîcheur au quinoa

Préparation : 30 minutes – **Cuisson :** 10 minutes – **Quantité :** 4 portions

375 ml	(1 ½ tasse) de quinoa blanc
750 ml	(3 tasses) de bouillon de légumes
2	oranges
60 ml	(¼ de tasse) de feta émiettée
45 ml	(3 c. à soupe) de coriandre hachée
45 ml	(3 c. à soupe) de menthe hachée
12	tomates cerises coupées en quatre
½	oignon rouge haché

—

1. Déposer le quinoa dans une passoire et rincer sous l'eau froide. Égoutter.

2. Dans une casserole, déposer le quinoa et verser le bouillon de légumes. Porter à ébullition. Couvrir et laisser mijoter à feu doux de 10 à 12 minutes, jusqu'à ce que le quinoa ait absorbé tout le liquide.

3. Laisser le quinoa reposer 5 minutes hors du feu, puis l'égrainer à la fourchette. Déposer le quinoa dans une grande assiette et laisser tiédir.

4. Prélever les suprêmes des oranges en coupant d'abord l'écorce à vif, puis en tranchant de chaque côté des membranes. Presser les membranes au-dessus d'un saladier afin d'en récupérer le jus. Couper les suprêmes en morceaux.

5. Dans le saladier, ajouter les ingrédients de la salade et, si désiré, la vinaigrette agrumes et miel (voir recette ci-dessous). Remuer.

—

J'aime avec...

Vinaigrette agrumes et miel

Mélanger 125 ml (½ tasse) d'huile d'olive avec 60 ml (¼ de tasse) de miel, 60 ml (¼ de tasse) de jus d'orange, 60 ml (¼ de tasse) de jus de citron, 30 ml (2 c. à soupe) de zestes de citron et 5 ml (1 c. à thé) de cumin. Saler et poivrer.

Soupe aux légumes et orge

Préparation : 30 minutes – **Cuisson :** 45 minutes – **Quantité :** 4 portions

PAR PORTION	
Calories	375
Protéines	15 g
Matières grasses	8 g
Glucides	53 g
Fibres	13 g
Fer	4 mg
Calcium	95 mg
Sodium	427 mg

- 2 carottes
- 2 branches de céleri
- ¼ de rutabaga
- 4 tomates
- 2 oignons
- ¼ de chou de Savoie
- 30 ml (2 c. à soupe) d'huile d'olive
- 160 ml (⅔ de tasse) d'orge mondé
- 15 ml (1 c. à soupe) d'ail haché
- 2 litres (8 tasses) de bouillon de légumes faible en sodium (de type Imagine)
- 1 tige de thym
- Sel et poivre au goût
- 125 ml (½ tasse) de maïs en grains
- ½ boîte de lentilles de 540 ml, rincées et égouttées
- 30 ml (2 c. à soupe) de basilic émincé

—

1. Couper les carottes, le céleri, le rutabaga, les tomates et les oignons en dés. Émincer le chou.

2. Dans une casserole, chauffer l'huile à feu moyen. Faire dorer les oignons de 2 à 3 minutes.

3. Ajouter les carottes, le céleri et le rutabaga. Cuire de 2 à 3 minutes.

4. Ajouter l'orge, l'ail et le bouillon. Porter à ébullition.

5. Ajouter le chou, les tomates et le thym. Saler et poivrer. Couvrir et laisser mijoter 40 minutes à feu doux.

6. Ajouter le maïs, les lentilles et le basilic. Prolonger la cuisson de 5 minutes.

—

LE SAVIEZ-VOUS ?

—

Orge perlé ou orge mondé ?

Le plus nutritif des deux est sans conteste l'orge mondé, puisque même si on a retiré sa première enveloppe extérieure, il conserve le son et le germe. Sa texture consistante épaissit les soupes et les ragoûts, tandis que sa saveur de noix en rehausse le goût. L'orge perlé, lui, contient moins de nutriments. En effet, comme on a poli les grains mécaniquement pour leur donner une forme de perle, ils ont perdu leur germe, affichant ainsi une plus faible teneur en fibres, en vitamines et en protéines. Le meilleur atout de l'orge perlé en cuisine ? Il cuit plus vite que l'orge mondé !

PAR PORTION	
Calories	530
Protéines	15 g
Matières grasses	23 g
Glucides	67 g
Fibres	10 g
Fer	4 mg
Calcium	86 mg
Sodium	18 mg

Salade de couscous aux haricots rouges

Préparation : 15 minutes – **Réfrigération :** 1 heure – **Quantité :** 4 portions

- 250 ml (1 tasse) de couscous
- 15 ml (1 c. à soupe) d'huile d'olive
- Sel et poivre au goût
- 250 ml (1 tasse) d'eau bouillante
- 1 petit oignon rouge coupé en dés
- 1 poivron jaune coupé en dés
- 250 ml (1 tasse) de haricots verts cuits et coupés en morceaux
- 1 boîte de haricots rouges de 540 ml, rincés et égouttés
- 80 ml (⅓ de tasse) de persil haché

Pour la vinaigrette :

- 80 ml (⅓ de tasse) d'huile d'olive
- 30 ml (2 c. à soupe) de vinaigre de cidre
- 10 ml (2 c. à thé) d'ail haché
- 5 ml (1 c. à thé) de grains de cumin

—

1. Dans un bol, mélanger le couscous avec l'huile. Saler et poivrer. Verser l'eau bouillante sur le couscous. Couvrir et laisser gonfler 5 minutes.

2. Égrainer le couscous à l'aide d'une fourchette. Laisser tiédir.

3. Dans un saladier, mélanger les ingrédients de la vinaigrette.

4. Ajouter l'oignon rouge, le poivron, les haricots verts et rouges, le couscous et le persil dans le saladier. Remuer. Réserver au frais idéalement 1 heure avant de servir.

—

PAR PORTION	
Calories	455
Protéines	20 g
Matières grasses	27 g
Glucides	37 g
Fibres	8 g
Fer	4 mg
Calcium	182 mg
Sodium	187 mg

Salade de quinoa, edamames et tomates cerises

Préparation: 20 minutes – **Cuisson**: 25 minutes – **Quantité**: 4 portions

125 ml	(½ tasse) de quinoa
660 ml	(2 ⅔ tasses) d'edamames décortiqués surgelés
18	tomates cerises de couleurs variées coupées en quartiers
375 ml	(1 ½ tasse) de chou rouge émincé finement
3	oignons verts émincés
125 ml	(½ tasse) de perles de bocconcini
	Sel et poivre au goût

Pour la vinaigrette:

60 ml	(¼ de tasse) d'huile de sésame (non grillé)
30 ml	(2 c. à soupe) de coriandre hachée
30 ml	(2 c. à soupe) de jus de lime
15 ml	(1 c. à soupe) de miel
15 ml	(1 c. à soupe) de miso
15 ml	(1 c. à soupe) de gingembre haché
1	piment thaï haché
	Sel au goût

—

1. Rincer et égoutter le quinoa, puis le cuire selon les indications de l'emballage.

2. Dans une casserole d'eau bouillante salée, cuire les edamames de 3 à 5 minutes. Refroidir sous l'eau très froide et égoutter.

3. Dans un saladier, fouetter les ingrédients de la vinaigrette.

4. Ajouter les edamames, le quinoa, les tomates cerises, le chou rouge, les oignons verts et les perles de bocconcini dans le saladier. Saler, poivrer et remuer.

—

PAR PORTION	
Calories	533
Protéines	15 g
Matières grasses	17 g
Glucides	74 g
Fibres	5 g
Fer	1 mg
Calcium	224 mg
Sodium	712 mg

Risotto à la courge Butternut

Préparation: 15 minutes – **Cuisson:** 20 minutes – **Quantité:** 4 portions

1 litre	(4 tasses) de bouillon de légumes faible en sodium (de type Imagine)
30 ml	(2 c. à soupe) de beurre
60 ml	(¼ de tasse) d'échalotes sèches (françaises) hachées
375 ml	(1 ½ tasse) de riz arborio
125 ml	(½ tasse) de vin blanc
250 ml	(1 tasse) de courge Butternut coupée en dés
80 ml	(⅓ de tasse) de tomates séchées coupées en dés
125 ml	(½ tasse) de parmesan râpé
45 ml	(3 c. à soupe) de ciboulette hachée
45 ml	(3 c. à soupe) de copeaux de parmesan (facultatif)
	Sel et poivre au goût

—

1. Dans une casserole, porter à ébullition le bouillon de légumes. Réduire le feu et maintenir le bouillon frémissant.

2. Dans une autre casserole, faire fondre le beurre à feu moyen. Cuire les échalotes de 1 à 2 minutes. Incorporer le riz et cuire 1 minute.

3. Verser le vin et chauffer à feu doux-moyen jusqu'à réduction complète du liquide.

4. Ajouter la courge et 250 ml (1 tasse) de bouillon de légumes très chaud. Cuire en remuant jusqu'à absorption complète du liquide.

5. Ajouter le reste du bouillon 250 ml (1 tasse) à la fois en remuant constamment jusqu'à ce qu'il n'y ait plus de bouillon chaud. Après avoir versé la dernière tasse de bouillon chaud, ajouter les tomates séchées. Après environ 20 minutes, le riz devrait être cuit et crémeux.

6. Ajouter le parmesan râpé et remuer jusqu'à ce qu'il soit fondu.

7. Au moment de servir, parsemer de ciboulette et, si désiré, de copeaux de parmesan. Saler et poivrer.

—

PAR PORTION	
Calories	400
Protéines	16 g
Matières grasses	9 g
Glucides	48 g
Fibres	12 g
Fer	5 mg
Calcium	74 mg
Sodium	323 mg

Soupe d'orge et lentilles à l'indienne

Préparation : 20 minutes – **Cuisson** : 40 minutes – **Quantité** : 4 portions

30 ml	(2 c. à soupe) d'huile d'olive
1	poireau émincé
1	oignon haché
1	carotte coupée en dés
1	branche de céleri coupée en dés
10 ml	(2 c. à thé) d'ail haché
15 ml	(1 c. à soupe) de cari
2 litres	(8 tasses) de bouillon de légumes faible en sodium (de type Imagine)
250 ml	(1 tasse) d'orge mondé
1	tige de thym
1	feuille de laurier
125 ml	(½ tasse) de lentilles corail ou rouges
	Sel et poivre au goût

—

1. Dans une casserole, chauffer l'huile à feu moyen. Cuire le poireau, l'oignon, la carotte et le céleri de 2 à 3 minutes.

2. Ajouter l'ail et le cari. Remuer. Ajouter le bouillon, l'orge et les fines herbes. Porter à ébullition. Couvrir et laisser mijoter 25 minutes à feu doux.

3. Rincer les lentilles sous l'eau froide, puis les ajouter à la soupe. Saler et poivrer. Laisser mijoter à feu doux-moyen de 15 à 20 minutes.

—

PAR PORTION	
Calories	605
Protéines	29 g
Matières grasses	30 g
Glucides	63 g
Fibres	9 g
Fer	9 mg
Calcium	293 mg
Sodium	1 100 mg

Croquettes de millet et lentilles sur poêlée de légumes et tofu

Préparation: 25 minutes – **Réfrigération**: 1 heure – **Cuisson**: 25 minutes – **Quantité**: 4 portions

250 ml (1 tasse) de farine
75 ml (5 c. à soupe) d'huile d'olive

Pour les croquettes:

180 ml (¾ de tasse) de millet
200 ml (¾ de tasse + 4 c. à thé) de lentilles vertes en conserve, rincées et égouttées
180 ml (¾ de tasse) d'oignons coupés en dés
125 ml (½ tasse) de noix de Grenoble hachées
100 g (3 ½ oz) de fromage de chèvre crémeux
80 ml (⅓ de tasse) de sauce soya réduite en sodium
30 ml (2 c. à soupe) de sirop d'érable
15 ml (1 c. à soupe) de moutarde de Dijon
1 œuf battu

Pour les légumes:

180 ml (¾ de tasse) d'oignons coupés en dés
1 bloc de tofu aux fines herbes de 454 g, coupé en dés
500 ml (2 tasses) de fèves germées
1 sac de julienne de légumes (de type Saladexpress) de 340 g
250 ml (1 tasse) de tomates coupées en dés
80 ml (⅓ de tasse) de sauce soya réduite en sodium

—

1. Cuire le millet dans 310 ml (1 ¼ tasse) d'eau bouillante 20 minutes à feu doux. Couvrir et laisser gonfler 10 minutes.

2. Mélanger les ingrédients des croquettes. Façonner des galettes avec la préparation.

3. Verser la farine dans une assiette creuse et fariner les galettes. Réfrigérer de 1 à 2 heures.

4. Au moment de la cuisson, chauffer la moitié de l'huile à feu élevé dans une poêle. Faire dorer les galettes 2 minutes de chaque côté.

5. Dans une autre poêle, chauffer le reste de l'huile à feu élevé. Faire dorer les oignons, le tofu, les fèves germées et la julienne de légumes quelques minutes. Ajouter les dés de tomates et la sauce soya. Cuire 5 minutes en remuant. Servir avec les galettes.

—

PAR PORTION	
Calories	552
Protéines	19 g
Matières grasses	12 g
Glucides	91 g
Fibres	6 g
Fer	3 mg
Calcium	275 mg
Sodium	772 mg

Spaghettis marinara

Préparation : 20 minutes – **Cuisson** : 30 minutes – **Quantité** : 4 portions

30 ml	(2 c. à soupe) d'huile d'olive
2	oignons hachés
2	gousses d'ail émincées
1	boîte de tomates en dés de 796 ml
15 ml	(1 c. à soupe) de sucre
1	tige de thym
1	feuille de laurier
	Sel et poivre au goût
350 g	(environ ¾ de lb) de spaghettis
125 ml	(½ tasse) de parmesan râpé

—

1. Dans une casserole, chauffer l'huile à feu moyen. Cuire les oignons et l'ail de 2 à 3 minutes.

2. Ajouter les tomates en dés, le sucre et les fines herbes. Saler et poivrer. Couvrir et cuire à feu doux-moyen de 30 à 35 minutes en remuant de temps en temps.

3. Environ 10 minutes avant la fin de la cuisson de la sauce, cuire les pâtes *al dente* dans une casserole d'eau bouillante salée. Égoutter.

4. Répartir les pâtes dans les assiettes et napper de sauce. Parsemer de parmesan.

—

Si pratiques, les œufs !

Excellente source de protéines, les œufs font preuve d'une grande polyvalence et s'intègrent aux mets sous toutes les formes : en omelette, pochés, cuits dur, brouillés, dans une salade, dans une soupe... Sans le moindre doute, on gagne à toujours en avoir à portée de main !

Gratin d'œufs et épinards, sauce aux quatre fromages

Préparation: 15 minutes – **Cuisson:** 20 minutes – **Quantité:** 4 portions

PAR PORTION	
Calories	236
Protéines	17 g
Matières grasses	16 g
Glucides	9 g
Fibres	2 g
Fer	2 mg
Calcium	356 mg
Sodium	254 mg

4	œufs
15 ml	(1 c. à soupe) de beurre
60 ml	(¼ de tasse) d'échalotes sèches (françaises) hachées
15 ml	(1 c. à soupe) de farine
250 ml	(1 tasse) de lait 2 %
1	pincée de muscade
250 ml	(1 tasse) de mélange de quatre fromages italiens râpés
500 g	(environ 1 lb) d'épinards surgelés, décongelés et égouttés ou 2 paquets de bébés épinards de 312 g chacun
	Sel et poivre au goût

—

1. Préchauffer le four à 180 °C (350 °F).

2. Déposer les œufs dans une casserole et couvrir d'eau froide. Porter à ébullition, puis cuire 10 minutes à feu moyen. Égoutter et refroidir sous l'eau froide. Écaler les œufs, puis les couper en deux.

3. Dans une poêle, faire fondre le beurre à feu moyen. Cuire les échalotes 1 minute.

4. Ajouter la farine et remuer. Verser le lait et la muscade. Porter à ébullition en fouettant.

5. Ajouter la moitié du fromage et remuer jusqu'à ce qu'il soit fondu.

6. Beurrer un plat de cuisson de 20 cm (8 po), puis y répartir les épinards. Déposer les œufs sur les épinards. Napper de sauce et parsemer avec le reste du fromage.

7. Cuire au four de 10 à 12 minutes. Saler et poivrer.

—

J'aime avec...

Croûtons au pesto de tomates

Dans un bol, mélanger 30 ml (2 c. à soupe) d'huile d'olive avec 15 ml (1 c. à soupe) de beurre fondu, 30 ml (2 c. à soupe) de pesto aux tomates séchées et 5 ml (1 c. à thé) de piment d'Espelette. Couper ½ baguette de pain sur l'épaisseur, puis la badigeonner avec la préparation. Déposer les demi-baguettes sur une plaque de cuisson. Cuire au four de 8 à 10 minutes à 180 °C (350 °F). Retirer du four et tailler en bâtonnets.

FRANCE

Sandwich bagel

Préparation: 15 minutes – **Cuisson**: 4 minutes – **Quantité**: 4 portions

PAR PORTION	
Calories	573
Protéines	25 g
Matières grasses	23 g
Glucides	67 g
Fibres	7 g
Fer	4 mg
Calcium	132 mg
Sodium	868 mg

8	œufs
250 ml	(1 tasse) d'épinards parés et émincés
	Sel et poivre au goût
4	bagels multigrains
½	paquet de fromage à la crème léger de 250 g, ramolli
3	tomates émincées
1	avocat émincé

—

1. Dans un bol, fouetter les œufs avec les épinards. Saler et poivrer.

2. Verser la préparation dans une assiette creuse et cuire au micro-ondes de 4 à 5 minutes, jusqu'à ce que les œufs soient pris.

3. Couper les bagels en deux sur l'épaisseur et faire griller au grille-pain.

4. Tartiner chaque moitié de bagels de fromage à la crème.

5. Garnir les bases des bagels de tranches de tomates, de la préparation aux œufs et de tranches d'avocat. Fermer les bagels.

—

J'aime avec...

Jus melon d'eau et orange

Dans le contenant du mélangeur, déposer ¼ de melon d'eau coupé en cubes, 250 ml (1 tasse) de jus d'orange et 4 feuilles de menthe. Émulsionner 30 secondes.

Œuf poché sur bagel, sauce crémeuse au pesto

Préparation : 10 minutes – **Cuisson :** 4 minutes – **Quantité :** 4 portions

PAR PORTION	
Calories	483
Protéines	20 g
Matières grasses	35 g
Glucides	24 g
Fibres	3 g
Fer	3 mg
Calcium	154 mg
Sodium	405 mg

- 180 ml (¾ de tasse) de crème à cuisson 15 %
- 60 ml (¼ de tasse) de pesto
- 30 ml (2 c. à soupe) de vinaigre de vin blanc
- 8 œufs
- 2 bagels multigrains
- 45 ml (3 c. à soupe) de beurre ramolli
- 1 tomate coupée en tranches

—

1. Dans une petite casserole, porter la crème à ébullition à feu moyen. Incorporer le pesto. Retirer du feu, puis couvrir et réserver.

2. Dans une casserole d'eau bouillante salée, verser le vinaigre. Casser délicatement chacun des œufs dans une petite tasse. Diminuer l'intensité du feu afin que l'eau frémisse doucement. Faire glisser délicatement les œufs un à un dans l'eau. Éteindre le feu, couvrir la casserole et laisser cuire 4 minutes. Assécher les œufs sur du papier absorbant.

3. Pendant ce temps, faire griller les bagels dans le grille-pain.

4. Beurrer les bagels. Garnir chaque demi-bagel de tranches de tomate et de 2 œufs pochés. Napper de sauce crémeuse au pesto chaude.

—

J'aime avec...

Patates douces rôties au thym

Dans un grand bol, mélanger de 2 à 3 patates douces pelées et coupées en cubes de 1 cm (½ po) avec 45 ml (3 c. à soupe) d'huile d'olive. Ajouter 10 ml (2 c. à thé) de thym haché. Saler et poivrer. Déposer sur une plaque de cuisson tapissée de papier parchemin. Cuire au four de 40 à 45 minutes à 205 °C (400 °F) en remuant de temps en temps.

PAR PORTION	
Calories	277
Protéines	15 g
Matières grasses	21 g
Glucides	7 g
Fibres	1 g
Fer	2 mg
Calcium	165 mg
Sodium	139 mg

Omelette aux légumes

Préparation: 15 minutes – **Cuisson**: 12 minutes – **Quantité**: 4 portions

1 poivron rouge
1 courgette
2 oignons verts
30 ml (2 c. à soupe) d'huile d'olive
Sel et poivre au goût
8 gros œufs
4 morceaux de fromage crémeux (de type La vache qui rit) de 16 g chacun
30 ml (2 c. à soupe) de ciboulette hachée

—

1. Préchauffer le four à 65 °C (150 °F).

2. Couper le poivron et la courgette en dés. Émincer les oignons verts.

3. Dans une poêle, chauffer 15 ml (1 c. à soupe) d'huile d'olive à feu moyen. Cuire les légumes de 2 à 3 minutes. Saler et poivrer. Réserver les légumes dans une assiette et couvrir pour les garder chauds.

4. Dans la même poêle, chauffer le reste de l'huile à feu moyen. Battre 2 œufs et verser dans la poêle. Saler et poivrer. Cuire de 3 à 4 minutes, jusqu'à ce que les œufs soient pris.

5. Déposer le quart des légumes et 1 morceau de fromage au centre de l'omelette. Rabattre deux côtés de l'omelette vers le centre. Déposer dans un plat de cuisson et réserver au four.

6. Répéter les étapes 4 et 5 pour les trois autres omelettes.

7. Au moment de servir, parsemer les omelettes de ciboulette.

—

J'aime avec...

Limonade aux fraises et framboises

Déposer 6 fraises dans le contenant du mélangeur. Ajouter 250 ml (1 tasse) de sucre et 250 ml (1 tasse) de jus de citron fraîchement pressé. Émulsionner 30 secondes, puis transvider dans un pichet. Réserver au frais 30 minutes. Ajouter 1 litre (4 tasses) d'eau dans le pichet et réfrigérer 2 heures. Au moment de servir, ajouter de 10 à 12 framboises surgelées. Décorer chacune des portions avec 1 feuille de menthe.

Croissants aux œufs brouillés et fromage de chèvre

Préparation : 15 minutes – **Cuisson :** 3 minutes – **Quantité :** 4 portions

PAR PORTION	
Calories	467
Protéines	21 g
Matières grasses	31 g
Glucides	26 g
Fibres	1 g
Fer	3 mg
Calcium	111 mg
Sodium	474 mg

4	croissants
8	œufs
30 ml	(2 c. à soupe) de ciboulette hachée
	Sel et poivre au goût
15 ml	(1 c. à soupe) de beurre
375 ml	(1 ½ tasse) de roquette
125 g	(environ ¼ de lb) de fromage de chèvre coupé en morceaux

—

1. Couper les croissants en deux sur l'épaisseur.

2. Dans un bol, fouetter les œufs avec la ciboulette. Saler et poivrer.

3. Dans une poêle, faire fondre le beurre à feu moyen. Verser la préparation aux œufs et cuire de 3 à 4 minutes en remuant, jusqu'à ce que les œufs soient pris.

4. Garnir la base des croissants de roquette, d'œufs brouillés et de fromage de chèvre. Refermer avec le dessus des croissants.

—

J'aime avec...

Salade de tomates colorées

Couper 24 tomates cerises de couleurs variées en deux. Dans un saladier, mélanger 45 ml (3 c. à soupe) d'huile d'olive avec 15 ml (1 c. à soupe) de jus de citron, 30 ml (2 c. à soupe) de basilic haché et 45 ml (3 c. à soupe) de noix de cajou hachées. Saler et poivrer. Ajouter les tomates cerises et remuer.

Omelette dans une tasse

Préparation: 15 minutes – **Cuisson:** 5 minutes – **Quantité:** 4 portions

PAR PORTION	
Calories	345
Protéines	20 g
Matières grasses	20 g
Glucides	20 g
Fibres	1 g
Fer	3 mg
Calcium	202 mg
Sodium	320 mg

8	œufs
60 ml	(¼ de tasse) de mélange laitier pour cuisson 5 %
15 ml	(1 c. à soupe) d'huile d'olive
3	tomates italiennes épépinées et coupées en dés
125 ml	(½ tasse) de cheddar râpé
160 ml	(⅔ de tasse) de farine
5 ml	(1 c. à thé) de poudre à pâte
	Sel et poivre au goût

—

1. Dans un bol, fouetter les œufs avec le mélange laitier pour cuisson et l'huile d'olive. Incorporer les dés de tomates et le cheddar.

2. Dans un autre bol, mélanger la farine avec la poudre à pâte. Incorporer les ingrédients secs au mélange d'œufs. Saler et poivrer. Répartir la préparation dans quatre tasses d'une capacité d'environ 375 ml (1 ½ tasse) chacune.

3. Cuire au micro-ondes, une tasse à la fois, de 1 minute à 1 minute 20 secondes.

—

J'aime avec...

Salade de couscous aux fruits

Dans une casserole, porter à ébullition 125 ml (½ tasse) de jus d'orange. Dans un saladier, mélanger 125 ml (½ tasse) de couscous avec 15 ml (1 c. à soupe) de beurre fondu. Verser le jus d'orange bouillant sur le couscous, puis couvrir et laisser gonfler 5 minutes. À l'aide d'une fourchette, égrainer le couscous. Incorporer 125 ml (½ tasse) de fraises coupées en petits dés, 125 ml (½ tasse) de melon d'eau coupé en petits dés, 1 pomme verte coupée en petits dés, 15 ml (1 c. à soupe) de menthe hachée et 45 ml (3 c. à soupe) de vinaigrette aux framboises.

PAR PORTION	
Calories	720
Protéines	20 g
Matières grasses	44 g
Glucides	58 g
Fibres	3 g
Fer	2 mg
Calcium	286 mg
Sodium	619 mg

Tarte au cheddar, tomates et œufs

Préparation : 15 minutes – **Cuisson** : 30 minutes – **Quantité** : 4 portions

1	boule de pâte à tarte de 450 g (1 lb)
3	tomates épépinées et coupées en dés
250 ml	(1 tasse) de cheddar râpé
60 ml	(¼ de tasse) de crème à cuisson 15 %
30 ml	(2 c. à soupe) de basilic haché
4	œufs
	Sel et poivre au goût

—

1. Préchauffer le four à 205 °C (400 °F).

2. Sur une surface farinée, abaisser la pâte en un rectangle de 38 cm x 14 cm (15 po x 5 ½ po). Déposer dans un moule rectangulaire de 35,5 cm x 11,5 cm (14 po x 4 ½ po). Piquer la pâte avec une fourchette. Couvrir d'une feuille de papier d'aluminium et remplir de haricots secs ou de billes de cuisson. Cuire au four 15 minutes.

3. Retirer les haricots et le papier d'aluminium. Laisser le four réglé à 205 °C (400 °F).

4. Dans un bol, mélanger les tomates avec le cheddar, la crème et le basilic. Répartir uniformément la préparation sur la pâte.

5. Casser les œufs côte à côte sur la préparation. Cuire au four 15 minutes. Saler et poivrer.

—

PAR PORTION	
Calories	499
Protéines	19 g
Matières grasses	37 g
Glucides	28 g
Fibres	14 g
Fer	5 mg
Calcium	415 mg
Sodium	711 mg

Salade de betteraves et œufs

Préparation: 15 minutes – **Cuisson**: 10 minutes – **Quantité**: 4 portions

4	œufs
4 à 5	betteraves cuites
3	endives émincées
100 g	(3 ½ oz) de Stilton ou de fromage bleu émietté
80 ml	(⅓ de tasse) de noix de Grenoble

Pour la vinaigrette:

6 à 8	framboises
15 ml	(1 c. à soupe) de moutarde de Dijon
15 ml	(1 c. à soupe) de miel
15 ml	(1 c. à soupe) de vinaigre de cidre
80 ml	(⅓ de tasse) d'huile d'olive
30 ml	(2 c. à soupe) de ciboulette hachée
	Sel et poivre au goût

—

1. Dans une casserole d'eau froide, déposer les œufs. Porter à ébullition, puis cuire 10 minutes. Égoutter et rafraîchir sous l'eau froide. Écaler les œufs, puis les couper en quartiers.

2. Peler les betteraves, puis les trancher.

3. Dans un saladier, écraser les framboises. Incorporer la moutarde de Dijon, le miel et le vinaigre de cidre. Verser en filet l'huile d'olive et l'incorporer en fouettant. Incorporer la ciboulette. Saler et poivrer.

4. Ajouter les betteraves dans le saladier. Remuer délicatement.

5. Répartir les feuilles d'endives dans les assiettes. Garnir de betteraves, de quartiers d'œufs, de fromage et de noix.

—

PAR PORTION	
Calories	687
Protéines	27 g
Matières grasses	34 g
Glucides	61 g
Fibres	8 g
Fer	4 mg
Calcium	303 mg
Sodium	724 mg

Burritos aux œufs

Préparation: 15 minutes – **Cuisson**: 20 minutes – **Quantité**: 4 portions

4	tortillas
15 ml	(1 c. à soupe) d'huile d'olive
15 ml	(1 c. à soupe) de beurre
2	oignons verts émincés
8	œufs battus
1	tomate coupée en dés
250 ml	(1 tasse) de Monterey Jack râpé
1	avocat coupé en dés

Pour les pommes de terre:

12 à 15	pommes de terre Fingerling
30 ml	(2 c. à soupe) d'huile d'olive
15 ml	(1 c. à soupe) d'assaisonnements ail rôti et poivrons (de type Club House)

—

1. Préchauffer le four à 205 °C (400 °F).

2. Couper les pommes de terre en deux sur la longueur.

3. Dans un bol, mélanger les pommes de terre avec l'huile d'olive et les assaisonnements ail rôti et poivrons. Déposer les pommes de terre sur une plaque de cuisson tapissée de papier parchemin. Cuire au four 20 minutes.

4. Pendant ce temps, badigeonner les tortillas d'huile d'olive. Déposer les tortillas sur une plaque de cuisson. Cuire au four de 5 à 6 minutes.

5. Dans une casserole, faire fondre le beurre à feu moyen. Cuire les oignons verts 1 minute.

6. Ajouter les œufs dans la casserole. Cuire en remuant jusqu'à ce que les œufs soient pris.

7. Ajouter la tomate, le fromage et l'avocat dans la casserole. Remuer délicatement.

8. Garnir les tortillas de la préparation aux œufs et rouler. Servir avec les pommes de terre.

—

PAR PORTION	
Calories	384
Protéines	23 g
Matières grasses	19 g
Glucides	28 g
Fibres	2 g
Fer	2 mg
Calcium	348 mg
Sodium	353 mg

Frittata aux gemellis

Préparation: 15 minutes – **Cuisson**: 30 minutes – **Quantité**: 4 portions

330 ml	(1 ¼ tasse) de gemellis
6	œufs
250 ml	(1 tasse) de brocoli haché
375 ml	(1 ½ tasse) de mozzarella râpée
30 ml	(2 c. à soupe) de ciboulette hachée
125 ml	(½ tasse) de lait 2 %
80 ml	(⅓ de tasse) de poivrons rouges rôtis émincés
30 ml	(2 c. à soupe) de persil haché
	Sel et poivre au goût

—

1. Préchauffer le four à 205 °C (400 °F).

2. Dans une casserole d'eau bouillante salée, cuire les pâtes *al dente*. Égoutter. Rincer sous l'eau froide et égoutter de nouveau.

3. Dans un bol, fouetter les œufs. Ajouter le brocoli, la moitié du fromage, la ciboulette, le lait, les poivrons rôtis et le persil. Saler et poivrer. Incorporer les pâtes.

4. Beurrer un plat allant au four, puis y verser la préparation. Couvrir avec le reste du fromage.

5. Cuire au four de 20 à 25 minutes.

—

PAR PORTION	
Calories	547
Protéines	21 g
Matières grasses	41 g
Glucides	24 g
Fibres	2 g
Fer	3 mg
Calcium	237 mg
Sodium	453 mg

Vol-au-vent aux œufs brouillés et asperges

Préparation : 15 minutes – **Cuisson :** 8 minutes – **Quantité :** 4 portions

4	vol-au-vent
10 à 12	asperges
8	œufs
60 ml	(¼ de tasse) de tomates séchées émincées
45 ml	(3 c. à soupe) de crème sure 14 %
	Sel et poivre au goût
15 ml	(1 c. à soupe) de beurre

Pour la crème de cheddar et thym :

250 ml	(1 tasse) de crème à cuisson 15 %
125 ml	(½ tasse) de cheddar râpé
5 ml	(1 c. à thé) de thym haché

—

1. Préchauffer le four à 120 °C (250 °F).

2. Dans une casserole, porter à ébullition la crème à feu moyen. Ajouter le cheddar et le thym. Cuire 1 minute, jusqu'à ce que le fromage soit fondu. Couvrir et réserver.

3. Sur une plaque de cuisson tapissée de papier parchemin, déposer les vol-au-vent. Réchauffer au four de 8 à 10 minutes.

4. Pendant ce temps, blanchir les asperges de 3 à 4 minutes dans une casserole d'eau bouillante salée. Égoutter. Couper les asperges en morceaux.

5. Dans un bol, battre les œufs avec les tomates séchées et la crème sure. Saler et poivrer.

6. Dans une poêle, faire fondre le beurre à feu moyen. Verser la préparation aux œufs et cuire en remuant jusqu'à ce que les œufs soient pris, en prenant soin de les garder crémeux.

7. Ajouter les asperges dans la poêle. Remuer.

8. Réchauffer la crème de cheddar et le thym de 1 à 2 minutes à feu doux-moyen.

9. Garnir les vol-au-vent de la préparation aux œufs brouillés. Napper de crème de cheddar et thym.

—

PAR PORTION	
Calories	281
Protéines	17 g
Matières grasses	22 g
Glucides	4 g
Fibres	1 g
Fer	2 mg
Calcium	181 mg
Sodium	416 mg

Omelette feta et tomates cerises

Préparation : 15 minutes – **Cuisson** : 4 minutes – **Quantité** : 4 portions

8	œufs
30 ml	(2 c. à soupe) de persil haché
30 ml	(2 c. à soupe) de ciboulette hachée
	Sel et poivre au goût
30 ml	(2 c. à soupe) de beurre
12	tomates cerises de couleurs variées coupées en deux
100 g	(3 ½ oz) de feta émiettée

—

1. Dans un bol, fouetter les œufs avec les fines herbes. Saler et poivrer.

2. Dans une poêle allant au four, faire fondre le beurre à feu moyen. Verser la préparation aux œufs. Cuire de 2 à 3 minutes en remuant avec une cuillère en bois jusqu'à ce que les œufs soient à moitié pris.

3. Parsemer de tomates cerises et de feta. Cuire au four de 2 à 3 minutes à la position « gril » (*broil*).

—

PAR PORTION	
Calories	319
Protéines	20 g
Matières grasses	24 g
Glucides	7 g
Fibres	1 g
Fer	2 mg
Calcium	244 mg
Sodium	372 mg

Frittata aux courgettes et tomates séchées

Préparation: 15 minutes – **Cuisson**: 30 minutes – **Quantité**: 4 portions

2	petites courgettes
½	oignon rouge
15 ml	(1 c. à soupe) d'huile d'olive
10	tomates séchées conservées dans l'huile, égouttées et émincées
20	feuilles de basilic
8	gros œufs
125 ml	(½ tasse) de crème à cuisson 15 %
125 ml	(½ tasse) de parmesan râpé
	Sel et poivre au goût

—

1. Préchauffer le four à 180 °C (350 °F).

2. Couper les courgettes en fines rondelles et émincer l'oignon rouge.

3. Huiler un plat profond allant au four de 20 cm (8 po) de diamètre. Déposer en couches successives l'oignon rouge, les tomates séchées, les courgettes et les feuilles de basilic.

4. Dans un bol, battre les œufs avec la crème et le parmesan. Saler et poivrer. Verser la préparation aux œufs sur les légumes.

5. Cuire au four 30 minutes, jusqu'à ce que la frittata soit ferme. Servir chaud ou froid.

—

PAR PORTION	
Calories	348
Protéines	17 g
Matières grasses	8 g
Glucides	51 g
Fibres	4 g
Fer	5 mg
Calcium	72 mg
Sodium	1 294 mg

Soupe japonaise aux nouilles ramen

Préparation: 25 minutes – **Cuisson**: 13 minutes – **Quantité**: 4 portions

- 4 œufs
- 1 litre (4 tasses) de bouillon de légumes sans sel ajouté
- 10 ml (2 c. à thé) d'ail haché
- 15 ml (1 c. à soupe) de gingembre haché
- 30 ml (2 c. à soupe) de sauce soya réduite en sodium
- 200 g (environ ½ lb) de nouilles instantanées
- 60 ml (¼ de tasse) de miso
- 250 ml (1 tasse) de fèves germées
- 100 g (3 ½ oz) de champignons enoki
- 16 pois mange-tout émincés
- 1 carotte émincée
- 2 oignons verts émincés

—

1. Dans une casserole, déposer les œufs et couvrir d'eau froide. Porter à ébullition à feu moyen-élevé, puis cuire 6 minutes pour des œufs mollets ou 10 minutes pour des œufs cuits dur. Égoutter et refroidir sous l'eau froide. Écaler les œufs, puis les couper en deux.

2. Pendant ce temps, préparer le bouillon. Dans une casserole, porter à ébullition le bouillon de légumes avec l'ail et le gingembre. Laisser mijoter de 8 à 10 minutes à feu doux.

3. Ajouter la sauce soya et les nouilles instantanées. Poursuivre la cuisson 2 minutes. Retirer du feu.

4. Dans un bol, délayer le miso dans un peu de bouillon, puis incorporer à la soupe.

5. Répartir les nouilles dans quatre bols. Ajouter les fèves germées, les champignons, les pois mange-tout et la carotte, puis verser le bouillon chaud. Garnir chacune des portions de 1 œuf et d'oignons verts.

—

Irrésistible, le fromage !

Peu d'aliments peuvent se vanter d'offrir un aussi vaste choix de saveurs et de textures que le fromage ! Et ce n'est pas tout : cet ingrédient bourré de protéines et de calcium peut aussi se targuer de faire l'unanimité. Ne reste plus qu'à vous inspirer de ces recettes et à choisir votre fromage préféré !

Pappardelles tomates, champignons et brie

Préparation : 20 minutes – **Cuisson** : 10 minutes – **Quantité** : 4 portions

PAR PORTION	
Calories	629
Protéines	24 g
Matières grasses	28 g
Glucides	71 g
Fibres	5 g
Fer	1 mg
Calcium	157 mg
Sodium	341 mg

340 g	(¾ de lb) de pappardelles ou de fettucines
60 ml	(¼ de tasse) d'huile d'olive
60 ml	(¼ de tasse) de parmesan râpé
15 ml	(1 c. à soupe) de ciboulette hachée
15 ml	(1 c. à soupe) d'aneth haché
	Sel et poivre au goût
3	échalotes sèches (françaises) émincées
1	gousse d'ail émincée
1	paquet de champignons café de 227 g, émincés
18	tomates cerises
150 g	(⅓ de lb) de brie tranché
30 ml	(2 c. à soupe) de petites feuilles de basilic

—

1. Dans une casserole d'eau bouillante salée, cuire les pâtes *al dente*. Égoutter.

2. Dans un bol, mélanger la moitié de l'huile d'olive avec le parmesan, la ciboulette et l'aneth. Saler et poivrer. Réserver.

3. Pendant la cuisson des pâtes, chauffer le reste de l'huile d'olive à feu moyen dans une autre casserole. Cuire les échalotes et l'ail 1 minute.

4. Ajouter les champignons et cuire de 2 à 3 minutes.

5. Ajouter les tomates et les pâtes. Réchauffer de 1 à 2 minutes. Ajouter les tranches de brie et remuer.

6. Répartir les pâtes dans les assiettes et napper chaque portion avec l'huile parfumée réservée. Parsemer de feuilles de basilic.

—

J'aime parce que...

C'est parfait pour recevoir !

Vous recevez votre couple d'amis végétariens et vous ne savez pas quoi leur préparer ? Vous les épaterez certainement avec ces pâtes dignes du resto. Délicieuses, faciles à préparer et végé, ces pâtes combleront vos convives… et vous aussi !

Soupe aux poireaux gratinée

Préparation: 25 minutes – **Cuisson**: 20 minutes – **Quantité**: 4 portions

PAR PORTION	
Calories	553
Protéines	19 g
Matières grasses	31 g
Glucides	44 g
Fibres	4 g
Fer	3 mg
Calcium	506 mg
Sodium	542 mg

60 ml	(¼ de tasse) de beurre
2	poireaux émincés
60 ml	(¼ de tasse) de farine
125 ml	(½ tasse) de vin blanc
1,25 litre	(5 tasses) de bouillon de légumes faible en sodium (de type Imagine)
1	tige de thym hachée
1	feuille de laurier
	Sel et poivre au goût
3	pommes de terre pelées et coupées en dés
125 ml	(½ tasse) de crème à cuisson 15 %
¼	de baguette de pain ciabatta coupée en huit tranches
375 ml	(1 ½ tasse) de gruyère râpé

—

1. Dans une casserole, faire fondre le beurre à feu doux-moyen. Cuire les poireaux de 4 à 5 minutes.

2. Saupoudrer de farine et remuer. Ajouter le vin blanc, le bouillon et les fines herbes. Saler et poivrer. Porter à ébullition à feu moyen en remuant, puis cuire de 7 à 12 minutes.

3. Ajouter les pommes de terre et la crème, puis poursuivre la cuisson 8 minutes.

4. Déposer les tranches de pain sur une plaque de cuisson. Faire griller au four de 1 à 2 minutes de chaque côté à la position « gril » (*broil*).

5. Répartir la soupe dans des bols allant au four. Garnir chaque portion de deux croûtons. Couvrir de gruyère et faire gratiner au four de 2 à 3 minutes à la position « gril » (*broil*).

—

J'aime parce que...

C'est un classique réinventé !

Qu'est-ce qu'on l'aime, la classique soupe à l'oignon gratinée à base de bouillon de bœuf ! Histoire de briser la routine, pourquoi ne pas laisser cette version végé aux poireaux et bouillon de légumes lui voler la vedette le temps d'un souper ? Qui sait, peut-être saura-t-elle même la détrôner ? Avec sa haute teneur en fibres, en calcium et en fer, le poireau s'avère d'ailleurs plus nutritif que l'oignon. Ainsi, aucune raison ne tient pour se priver d'une bonne soupe gratinée !

Rouleaux de lasagne ricotta et roquette

Préparation: 20 minutes – **Cuisson**: 40 minutes – **Quantité**: 4 portions (8 rouleaux)

PAR PORTION	
Calories	759
Protéines	46 g
Matières grasses	36 g
Glucides	62 g
Fibres	6 g
Fer	4 mg
Calcium	992 mg
Sodium	1 332 mg

8 lasagnes

500 ml (2 tasses) de sauce marinara

500 ml (2 tasses) de mozzarella râpée

Pour la farce:

1 contenant de ricotta de 475 g

750 ml (3 tasses) de roquette émincée

180 ml (¾ de tasse) de parmesan râpé

60 ml (¼ de tasse) d'échalotes sèches (françaises) hachées

30 ml (2 c. à soupe) de basilic haché

10 ml (2 c. à thé) d'ail haché

1 œuf battu

—

1. Dans une casserole d'eau bouillante salée, cuire les lasagnes *al dente*. Égoutter. Rincer sous l'eau froide et égoutter de nouveau. Éponger les lasagnes avec un linge.

2. Pendant ce temps, mélanger les ingrédients de la farce dans un bol.

3. Préchauffer le four à 180 °C (350 °F).

4. Sur le plan de travail, déposer une grande feuille de papier ciré, puis disposer les lasagnes côte à côte sur la feuille. Répartir la farce sur les lasagnes, en laissant un pourtour libre sur les quatre côtés. Rouler les lasagnes sur la farce en serrant.

5. Dans un plat de cuisson, étaler le tiers de la sauce marinara. Déposer les rouleaux de lasagne sur la sauce, joint dessous. Napper avec le reste de la sauce et couvrir de fromage. Couvrir le plat d'une feuille de papier d'aluminium.

6. Cuire au four 30 minutes.

7. Retirer le papier d'aluminium et poursuivre la cuisson 10 minutes, jusqu'à ce que le fromage soit gratiné.

—

J'aime avec...

Baguette de pain à l'ail et tomates séchées

Mélanger 125 ml (½ tasse) de beurre ramolli avec 60 ml (¼ de tasse) de persil haché, 15 ml (1 c. à soupe) de pesto aux tomates séchées et 10 ml (2 c. à thé) d'ail haché. Saler et poivrer. Inciser 1 petite baguette de pain en 10 à 12 tranches d'environ 2,5 cm (1 po) d'épaisseur, sans les trancher complètement. Tartiner les tranches de beurre aromatisé. Envelopper la baguette dans une grande feuille de papier d'aluminium, puis cuire au four de 10 à 12 minutes à 205 °C (400 °F).

Pizza jardinière aux deux fromages

Préparation: 15 minutes – **Cuisson**: 15 minutes – **Quantité**: 8 portions

PAR PORTION	
Calories	423
Protéines	18 g
Matières grasses	19 g
Glucides	45 g
Fibres	5 g
Fer	2 mg
Calcium	444 mg
Sodium	798 mg

6 à 8	pommes de terre grelots coupées en deux
	Sel et poivre au goût
30 ml	(2 c. à soupe) d'huile d'olive
1	oignon émincé
1	poivron jaune émincé
1	courgette émincée
15 ml	(1 c. à soupe) d'ail haché
10 ml	(2 c. à thé) de thym haché
5 ml	(1 c. à thé) de romarin haché
2	croûtes à pizza précuites de 30 cm (12 po)
500 ml	(2 tasses) de provolone râpé
1	contenant de feta de 200 g, émiettée

—

1. Préchauffer le four à 205 °C (400 °F).

2. Déposer les pommes de terre grelots dans une casserole, puis couvrir d'eau froide. Saler. Porter à ébullition, puis cuire de 8 à 10 minutes, en prenant soin de conserver les pommes de terre *al dente*. Rincer sous l'eau froide et égoutter. Laisser tiédir.

3. Pendant ce temps, chauffer l'huile à feu moyen dans une poêle. Cuire l'oignon, le poivron et la courgette de 2 à 3 minutes.

4. Incorporer l'ail et les fines herbes. Saler et poivrer. Réserver.

5. Déposer les croûtes à pizza sur une ou deux plaques de cuisson. Répartir la moitié du provolone sur les croûtes. Cuire au four 5 minutes.

6. Pendant ce temps, émincer les pommes de terre.

7. Retirer les pizzas du four. Répartir les légumes, la feta et le reste du provolone sur les croûtes. Prolonger la cuisson au four de 10 à 12 minutes.

—

J'aime parce que...

Les croûtes précuites, c'est pratique !

Envie de réaliser rapido de délicieuses pizzas maison ? Les croûtes à pizza précuites sont tout indiquées ! Offertes dans différents formats au rayon de la boulangerie de votre supermarché, elles permettent de composer en quelques minutes un repas complet. Minces, rondes, carrées, nature ou aromatisées, étirées à la main comme en Italie, précuites dans un four en brique ou sur pierre de granit, il y en a pour tous les goûts. Vous voulez accroître votre apport en fibres ? Optez pour des croûtes à base de farine de grains entiers.

Salade de chèvre en croûte d'amandes croustillante

Préparation : 20 minutes – **Cuisson :** 8 minutes – **Quantité :** 4 portions

PAR PORTION	
avec la vinaigrette	
Calories	649
Protéines	18 g
Matières grasses	47 g
Glucides	39 g
Fibres	3 g
Fer	2 mg
Calcium	110 mg
Sodium	383 mg

- 80 ml (⅓ de tasse) de farine
- 2 œufs
- 2 fromages de chèvre (de type La Bûchette) de 125 g chacun
- 60 ml (¼ de tasse) d'huile de canola
- 500 ml (2 tasses) de roquette
- 1 pomme émincée

Pour l'enrobage :

- 250 ml (1 tasse) de chapelure panko
- 80 ml (⅓ de tasse) d'amandes hachées
- 30 ml (2 c. à soupe) de persil haché
- 10 ml (2 c. à thé) de thym haché

—

1. Préparer trois assiettes creuses. Dans la première, verser la farine. Dans la deuxième, battre les œufs. Dans la troisième, mélanger les ingrédients de l'enrobage. Couper chacun des fromages en six tranches. Fariner les tranches de fromage, les tremper dans les œufs battus, puis les enrober de chapelure. Tremper de nouveau les tranches de fromage dans les œufs, puis dans la chapelure.

2. Dans une poêle, chauffer l'huile à feu doux-moyen. Cuire la moitié des rondelles de fromage 2 minutes de chaque côté, jusqu'à ce qu'elles soient dorées. Égoutter sur du papier absorbant. Répéter avec le reste des rondelles.

3. Répartir la roquette et les tranches de pomme dans les assiettes. Garnir chacune des portions de trois rondelles de fromage.

—

J'aime avec...

Vinaigrette citron et canneberges

Fouetter 60 ml (¼ de tasse) d'huile d'olive avec 30 ml (2 c. à soupe) de sirop d'érable, 30 ml (2 c. à soupe) de canneberges séchées hachées finement, 15 ml (1 c. à soupe) de jus de citron et 15 ml (1 c. à soupe) de moutarde à l'ancienne. Saler et poivrer.

Soupe fromage et brocoli

Préparation : 15 minutes – **Cuisson :** 4 minutes – **Quantité :** 4 portions

PAR PORTION	
Calories	425
Protéines	15 g
Matières grasses	36 g
Glucides	12 g
Fibres	1 g
Fer	1 mg
Calcium	403 mg
Sodium	899 mg

- 60 ml (¼ de tasse) de beurre
- 1 oignon haché
- 10 ml (2 c. à thé) d'ail haché
- 60 ml (¼ de tasse) de farine
- 750 ml (3 tasses) de bouillon de légumes
- 410 ml (1 ⅔ tasse) de cheddar râpé
- 1 brocoli coupé en petits bouquets
- 180 ml (¾ de tasse) de crème à cuisson 15 %
- Sel et poivre au goût

—

1. Dans une casserole, faire fondre le beurre à feu moyen. Cuire l'oignon et l'ail de 1 à 2 minutes.

2. Incorporer la farine, puis verser le bouillon de légumes. Porter à ébullition en fouettant.

3. Ajouter le cheddar et remuer jusqu'à ce qu'il soit fondu.

4. Ajouter le brocoli et la crème. Saler et poivrer. Porter à ébullition, puis cuire de 3 à 5 minutes.

5. À l'aide du mélangeur-plongeur, réduire la préparation en potage lisse.

—

J'aime avec...

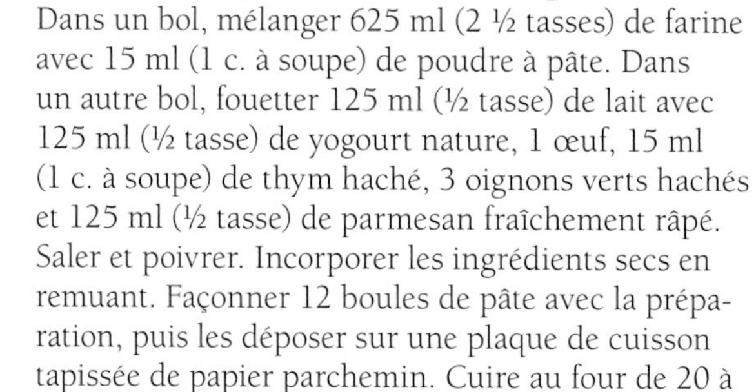

Scones oignons verts et parmesan

Dans un bol, mélanger 625 ml (2 ½ tasses) de farine avec 15 ml (1 c. à soupe) de poudre à pâte. Dans un autre bol, fouetter 125 ml (½ tasse) de lait avec 125 ml (½ tasse) de yogourt nature, 1 œuf, 15 ml (1 c. à soupe) de thym haché, 3 oignons verts hachés et 125 ml (½ tasse) de parmesan fraîchement râpé. Saler et poivrer. Incorporer les ingrédients secs en remuant. Façonner 12 boules de pâte avec la préparation, puis les déposer sur une plaque de cuisson tapissée de papier parchemin. Cuire au four de 20 à 25 minutes à 180 °C (350 °F).

Cannellonis *della mamma*

Préparation : 25 minutes – **Cuisson :** 25 minutes – **Quantité :** 4 portions

PAR PORTION	
Calories	727
Protéines	42 g
Matières grasses	37 g
Glucides	58 g
Fibres	5 g
Fer	3 mg
Calcium	855 mg
Sodium	1 276 mg

15 ml	(1 c. à soupe) d'huile d'olive
80 ml	(⅓ de tasse) d'échalotes sèches (françaises) hachées
15 ml	(1 c. à soupe) d'ail haché
1	paquet de bébés épinards de 142 g
1	contenant de ricotta de 475 g
1	œuf
30 ml	(2 c. à soupe) de basilic haché
45 ml	(3 c. à soupe) de persil haché
180 ml	(¾ de tasse) de parmesan râpé
15 ml	(1 c. à soupe) de zestes de citron
	Sel et poivre au goût
12	cannellonis sans précuisson
500 ml	(2 tasses) de sauce marinara
375 ml	(1 ½ tasse) de mélange de quatre fromages italiens râpés

—

1. Préchauffer le four à 190 °C (375 °F).

2. Dans une poêle, chauffer l'huile à feu moyen. Cuire les échalotes et l'ail de 1 à 2 minutes.

3. Ajouter les bébés épinards et cuire de 2 à 3 minutes en remuant.

4. Dans un bol, mélanger la ricotta avec l'œuf, les fines herbes, le parmesan et les zestes de citron. Saler et poivrer.

5. Incorporer la préparation aux épinards au mélange à la ricotta.

6. Garnir les cannellonis avec la farce aux épinards et ricotta (voir l'encadré ci-dessous).

7. Verser un peu de sauce marinara dans un plat de cuisson de 33 cm x 23 cm (13 po x 9 po). Déposer les cannellonis farcis côte à côte dans le plat.

8. Napper du reste de sauce marinara et couvrir de fromage. Couvrir le plat d'une feuille de papier d'aluminium et cuire au four de 12 à 15 minutes.

9. Retirer la feuille de papier d'aluminium et poursuivre la cuisson de 12 à 15 minutes.

—

LE SAVIEZ-VOUS ?

—

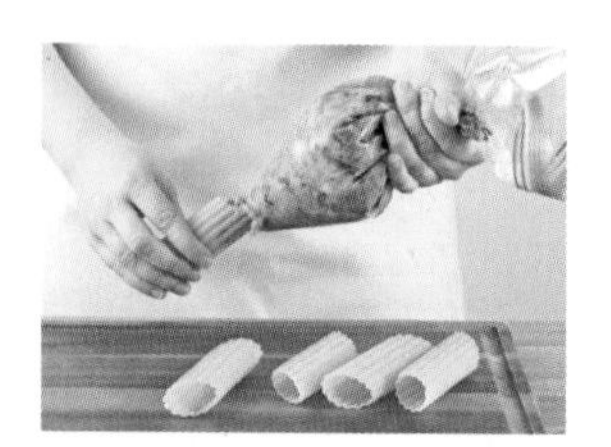

Comment farcir des cannellonis

Farcir les cannellonis, c'est facile ! Il suffit d'utiliser un sac de plastique hermétique (de type Ziploc) en guise de poche à pâtisserie. Après avoir coupé un coin du sac, on dépose la farce à l'intérieur, puis on la pousse afin qu'elle descende bien jusqu'au bout de la poche. On farcit ensuite les cannellonis en les maintenant de biais, et le tour est joué !

PAR PORTION	
Calories	577
Protéines	24 g
Matières grasses	24 g
Glucides	70 g
Fibres	5 g
Fer	3 mg
Calcium	138 mg
Sodium	897 mg

Rotinis au fromage halloumi, tomates et roquette

Préparation : 15 minutes – **Cuisson** : 10 minutes – **Quantité** : 4 portions

1 litre	(4 tasses) de rotinis
1	paquet de fromage halloumi (de type Doré-mi) de 235 g, coupé en morceaux
45 ml	(3 c. à soupe) d'huile d'olive
1	oignon émincé
10 ml	(2 c. à thé) d'ail haché
18	tomates cerises de couleurs variées coupées en deux
30 ml	(2 c. à soupe) de vinaigre balsamique
	Sel et poivre au goût
250 ml	(1 tasse) de roquette

—

1. Dans une casserole d'eau bouillante salée, cuire les pâtes *al dente*. Égoutter.

2. Dans une poêle, faire griller les morceaux de fromage des deux côtés. Réserver dans une assiette.

3. Dans la même poêle, chauffer l'huile à feu moyen. Cuire l'oignon et l'ail de 2 à 3 minutes en remuant. Transférer dans une assiette.

4. Dans la même poêle, cuire les tomates 1 minute en remuant.

5. Incorporer le vinaigre balsamique. Saler et poivrer.

6. Ajouter les pâtes, la roquette, le fromage, l'oignon et l'ail. Remuer.

—

PAR PORTION	
Calories	553
Protéines	16 g
Matières grasses	44 g
Glucides	26 g
Fibres	6 g
Fer	1 mg
Calcium	249 mg
Sodium	274 mg

Tarte aux légumes

Préparation : 15 minutes – **Cuisson** : 30 minutes – **Quantité** : 4 portions

4	tomates italiennes
2	courgettes
1	petit oignon rouge
10	bocconcinis cocktail
1	contenant de trempette aux artichauts (de type Fontaine Santé) de 245 g
1	fond de tarte de 23 cm (9 po)
15 ml	(1 c. à soupe) d'huile d'olive
	Sel et poivre au goût
	Quelques feuilles de marjolaine

—

1. Préchauffer le four à 205 °C (400 °F).

2. Couper les tomates, les courgettes, l'oignon rouge et les bocconcinis en tranches fines.

3. Répartir la trempette dans le fond de tarte, puis disposer les légumes et les bocconcinis en rosace en les intercalant. Arroser d'un filet d'huile. Saler et poivrer.

4. Cuire au four de 30 à 35 minutes.

5. À la sortie du four, parsemer de feuilles de marjolaine.

—

PAR PORTION	
Calories	360
Protéines	15 g
Matières grasses	8 g
Glucides	59 g
Fibres	4 g
Fer	3 mg
Calcium	264 mg
Sodium	132 mg

Pennes à la courge et à la ricotta

Préparation: 20 minutes – **Cuisson**: 15 minutes – **Quantité**: 4 portions

440 ml	(environ 1 ¾ tasse) de pennes
10 ml	(2 c. à thé) d'huile d'olive
1	courge Butternut de 800 g (environ 1 ¾ lb), pelée et coupée en petits cubes
160 ml	(⅔ de tasse) de ricotta légère 2 %
45 ml	(3 c. à soupe) de parmesan râpé
45 ml	(3 c. à soupe) d'eau chaude
	Sel et poivre au goût
	Thym effeuillé au goût

—

1. Dans une casserole d'eau bouillante salée, cuire les pâtes *al dente*. Égoutter en prenant soin de réserver au moins 125 ml (½ tasse) d'eau de cuisson dans un bol. Remettre les pâtes dans la casserole.

2. Pendant ce temps, chauffer la moitié de l'huile d'olive à feu moyen dans une poêle. Faire dorer les cubes de courge 10 minutes, jusqu'à ce qu'ils soient tendres. Réserver.

3. Dans un bol, mélanger la ricotta avec le reste de l'huile, le parmesan et l'eau chaude.

4. Dans la casserole contenant les pâtes, ajouter les dés de courge et la sauce à la ricotta. Remuer délicatement. Saler et poivrer. Ajouter le thym. Si la préparation est trop épaisse, incorporer un peu d'eau de cuisson des pâtes.

—

PAR PORTION	
Calories	555
Protéines	15 g
Matières grasses	24 g
Glucides	71 g
Fibres	3 g
Fer	5 mg
Calcium	111 mg
Sodium	1 074 mg

Pizza-focaccia au chèvre

Préparation : 15 minutes – **Cuisson** : 10 minutes – **Quantité** : 4 portions (4 pizzas de 20 cm – 8 po)

Pour l'huile parfumée :

- 45 ml (3 c. à soupe) d'huile d'olive
- 15 ml (1 c. à soupe) de thym haché
- 10 ml (2 c. à thé) de romarin haché
- 5 ml (1 c. à thé) d'origan haché

Pour la pizza :

- 1 boule de pâte à pizza de 500 g (environ 1 lb)
- 3 tomates italiennes coupées en rondelles
- ½ oignon rouge émincé
- 80 ml (⅓ de tasse) d'olives noires émincées
- 115 g (¼ de lb) de fromage de chèvre crémeux (de type Capriny), émietté
- Poivre au goût
- 30 ml (2 c. à soupe) de petites feuilles de basilic

—

1. Préchauffer le four à 205 °C (400 °F).
2. Dans un bol, mélanger les ingrédients de l'huile parfumée.
3. Diviser la pâte en quatre boules. Sur une surface légèrement farinée, abaisser chaque boule de pâte en un cercle de 20 cm (8 po) de diamètre. Étirer chaque cercle de pâte en une forme rectangulaire.
4. Tapisser deux plaques de cuisson de papier parchemin, puis y déposer les pâtes. Piquer les pâtes avec une fourchette. Badigeonner d'huile parfumée.
5. Cuire au four de 8 à 10 minutes, jusqu'à ce que les pâtes soient dorées et croustillantes.
6. Retirer les pâtes du four. Garnir de tomates, d'oignon rouge et d'olives noires. Parsemer de fromage de chèvre. Poursuivre la cuisson au four 2 minutes.
7. Retirer les pizzas du four et poivrer. Garnir de feuilles de basilic.

—

PAR PORTION	
Calories	555
Protéines	20 g
Matières grasses	39 g
Glucides	31 g
Fibres	2 g
Fer	1 mg
Calcium	413 mg
Sodium	653 mg

Grilled cheese aux deux fromages et pomme

Préparation: 10 minutes – **Cuisson**: 4 minutes – **Quantité**: 4 portions

8	tranches de pain aux noix
60 ml	(¼ de tasse) de beurre ramolli
115 g	(¼ de lb) de cheddar jaune coupé en tranches
115 g	(¼ de lb) de fromage Saint-Paulin coupé en tranches
1	pomme verte émincée

—

1. Tartiner un seul côté des tranches de pain de beurre.

2. Répartir les tranches de cheddar, de Saint-Paulin et de pomme sur le côté non beurré de quatre tranches de pain.

3. Fermer les sandwichs, côté beurré du pain à l'extérieur.

4. Chauffer une poêle antiadhésive à feu moyen. Cuire les sandwichs de 2 à 3 minutes de chaque côté, jusqu'à ce que le fromage soit fondu et que le pain soit doré.

—

PAR PORTION	
Calories	742
Protéines	34 g
Matières grasses	31 g
Glucides	86 g
Fibres	4 g
Fer	2 mg
Calcium	601 mg
Sodium	690 mg

Macaroni au fromage avec brocoli et chou-fleur

Préparation : 15 minutes – **Cuisson** : 30 minutes – **Quantité** : 4 portions

655 ml	(environ 2 ⅔ tasses) de macaronis
250 ml	(1 tasse) de brocoli coupé en petits bouquets
250 ml	(1 tasse) de chou-fleur coupé en petits bouquets
30 ml	(2 c. à soupe) de beurre
30 ml	(2 c. à soupe) de farine
500 ml	(2 tasses) de lait 2 %
375 ml	(1 ½ tasse) de cheddar fort râpé
125 ml	(½ tasse) de parmesan râpé
80 ml	(⅓ de tasse) de chapelure nature

—

1. Préchauffer le four à 180 °C (350 °F).

2. Dans une casserole d'eau bouillante salée, cuire les macaronis *al dente*. Ajouter les bouquets de brocoli et de chou-fleur dans la casserole 3 minutes avant la fin de la cuisson des pâtes. Égoutter.

3. Dans une autre casserole, faire fondre le beurre à feu moyen. Ajouter la farine et remuer quelques secondes. Incorporer le lait et cuire à feu moyen en fouettant jusqu'à épaississement.

4. Ajouter le cheddar et la moitié du parmesan à la sauce. Mélanger jusqu'à ce que le fromage soit fondu. Retirer du feu.

5. Dans un plat de cuisson, mélanger les pâtes avec les légumes et la sauce. Couvrir du reste du parmesan et de la chapelure. Faire dorer au four 20 minutes.

—

Recette de Nathalie Couët

PAR PORTION	
Calories	426
Protéines	16 g
Matières grasses	8 g
Glucides	70 g
Fibres	4 g
Fer	3 mg
Calcium	196 mg
Sodium	231 mg

Gratin de pâtes et de courge Butternut

Préparation: 30 minutes – **Cuisson**: 25 minutes – **Quantité**: 6 portions

1	petite courge Butternut pelée et coupée en cubes
15 ml	(1 c. à soupe) d'huile d'olive
1	oignon haché
1	tige de romarin hachée finement
1 litre	(4 tasses) de rotinis
	Sel et poivre au goût
125 ml	(½ tasse) de parmesan râpé
125 ml	(½ tasse) de cheddar fort râpé
125 ml	(½ tasse) de chapelure nature ou panko

—

1. Dans une grande casserole d'eau bouillante salée, cuire les cubes de courge jusqu'à ce qu'ils soient très tendres. Égoutter et réduire en purée.

2. Préchauffer le four à 205 °C (400 °F).

3. Beurrer un plat de cuisson de 33 cm x 23 cm (13 po x 9 po).

4. Dans une poêle, chauffer l'huile à feu doux. Cuire l'oignon 5 minutes, jusqu'à ce qu'il soit très tendre et légèrement coloré. Ajouter le romarin et réserver.

5. Dans une casserole d'eau bouillante salée, cuire les pâtes *al dente*. Égoutter en prenant soin de réserver 250 ml (1 tasse) d'eau de cuisson dans un bol. Remettre les pâtes dans la casserole.

6. Dans le bol contenant l'eau de cuisson, incorporer la purée de courge et les oignons. Saler et poivrer. Transvider la préparation dans la casserole contenant les pâtes. Incorporer la moitié des fromages râpés. Déposer dans le plat de cuisson.

7. Dans un petit bol, mélanger le reste des fromages avec la chapelure, puis en parsemer les pâtes.

8. Cuire au four 15 minutes, jusqu'à ce que le dessus de la préparation soit doré.

—

Recette de Ève Godin, nutritionniste

PAR PORTION	
Calories	434
Protéines	22 g
Matières grasses	21 g
Glucides	42 g
Fibres	7 g
Fer	7 mg
Calcium	609 mg
Sodium	543 mg

Rouleau aux épinards

Préparation: 20 minutes – **Cuisson**: 50 minutes – **Quantité**: 4 portions

750 g	(environ 1 ⅔ lb) de pommes de terre pelées et coupées en cubes
15 ml	(1 c. à soupe) de beurre
250 ml	(1 tasse) de cheddar râpé
	Sel et poivre au goût
750 g	(1 ⅔ lb) d'épinards parés et hachés
100 g	(3 ½ oz) de fromage en grains
5 ml	(1 c. à thé) de muscade
5 ml	(1 c. à thé) d'huile de canola
30 ml	(2 c. à soupe) de parmesan râpé

—

1. Dans une casserole d'eau salée, déposer les cubes de pommes de terre. Porter à ébullition, puis laisser mijoter 20 minutes à feu doux, jusqu'à tendreté. Égoutter.

2. Réduire les pommes de terre en purée avec le beurre et les trois quarts du cheddar. Saler et poivrer.

3. Préchauffer le four à 205 °C (400 °F).

4. Dans une autre casserole, cuire les épinards 5 minutes à feu doux en remuant constamment. Égoutter.

5. Incorporer le fromage en grains et la muscade aux épinards cuits. Saler et poivrer.

6. Huiler légèrement une grande feuille de papier parchemin, puis la saupoudrer de parmesan. Étaler la purée de pommes de terre au centre du papier parchemin afin de créer un rectangle d'environ 30 cm x 25 cm (12 po x 10 po). Égaliser la surface.

7. Étaler le mélange d'épinards sur la purée en laissant un pourtour libre de 2,5 cm (1 po). En soulevant l'un des côtés longs du papier parchemin, rabattre la purée et les épinards sur eux-mêmes pour former un rouleau.

8. Huiler une plaque de cuisson, puis y déposer le papier parchemin sur lequel repose le rouleau aux épinards.

9. Saupoudrer le rouleau du reste du cheddar, puis cuire au four de 25 à 30 minutes.

—

Express et végé

En panne d'inspiration pour le souper? Si, aux yeux de certains, manger végé exige plus d'organisation, cette section prouve bien qu'il est possible – et même plus simple, parfois! – de se concocter un festin sans viande en moins de deux. À vos marques, prêts... savourez!

Soupe crémeuse à la mexicaine

Préparation: 10 minutes – **Cuisson**: 10 minutes – **Quantité**: de 4 à 6 portions

PAR PORTION	
Calories	245
Protéines	15 g
Matières grasses	10 g
Glucides	31 g
Fibres	6 g
Fer	3 mg
Calcium	298 mg
Sodium	1 135 mg

- 1 boîte de tomates en dés de 540 ml
- 1 boîte de crème de pommes de terre condensée de 284 ml
- 2,5 ml (½ c. à thé) de cumin
- 15 ml (1 c. à soupe) d'ail haché
- ½ boîte de haricots noirs de 540 ml, rincés et égouttés
- 250 ml (1 tasse) de macédoine de légumes
- 250 ml (1 tasse) de mélange de fromages râpés (de type Mexicana)

—

1. Dans une grande casserole, porter à ébullition les tomates en dés avec la crème de pommes de terre, 284 ml d'eau (mesure de la boîte de crème de pommes de terre), le cumin et l'ail à feu moyen en remuant de temps en temps.

2. Ajouter les haricots noirs et la macédoine de légumes. Laisser mijoter de 5 à 7 minutes.

3. Au moment de servir, garnir de fromage râpé.

—

J'aime avec...

Concassé d'avocats au piment et à la lime

Dans un bol, mélanger 2 avocats pelés et coupés en dés avec 30 ml (2 c. à soupe) de jus de lime, 5 ml (1 c. à thé) de piment d'Espelette (ou de paprika), 1 pincée de fleur de sel et 30 ml (2 c. à soupe) de coriandre hachée. Remuer délicatement et servir aussitôt.

Salade de tortellinis à la roquette

Préparation : 15 minutes – **Cuisson :** 10 minutes – **Quantité :** 4 portions

PAR PORTION	
Calories	472
Protéines	15 g
Matières grasses	25 g
Glucides	51 g
Fibres	3 g
Fer	1 mg
Calcium	254 mg
Sodium	714 mg

1	paquet de tortellinis au fromage de 350 g
24	tomates cerises de couleurs variées
375 ml	(1 ½ tasse) de roquette
125 ml	(½ tasse) de vinaigrette aux tomates séchées

—

1. Dans une casserole d'eau bouillante salée, cuire les pâtes *al dente*. Égoutter.

2. Couper les tomates cerises en deux.

3. Dans un saladier, déposer les tomates cerises, les tortellinis et la roquette. Ajouter la vinaigrette aux tomates séchées. Remuer.

—

J'aime avec...

Tuiles de parmesan

Râper 250 ml (1 tasse) de parmesan. Sur une plaque de cuisson tapissée d'une feuille de papier parchemin, former quatre cercles de parmesan de 15 cm (6 po) de diamètre. Faire griller au four de 8 à 10 minutes à 190 °C (375 °F), jusqu'à ce que le pourtour des cercles commence à colorer.

PAR PORTION	
Calories	390
Protéines	18 g
Matières grasses	22 g
Glucides	31 g
Fibres	4 g
Fer	3 mg
Calcium	300 mg
Sodium	316 mg

Œufs à la salsa sur tortillas

Préparation: 20 minutes – **Cuisson**: 12 minutes – **Quantité**: 4 portions

15 ml	(1 c. à soupe) d'huile d'olive
1 ½	poivron rouge coupé en dés
1	poivron jaune coupé en dés
1	poivron vert coupé en dés
3	tomates italiennes coupées en dés
1	oignon haché
4	petites tortillas
4	œufs
250 ml	(1 tasse) de cheddar râpé
30 ml	(2 c. à soupe) de coriandre hachée

—

1. Préchauffer le four à 180 °C (350 °F).

2. Dans une poêle, chauffer l'huile à feu moyen. Cuire les poivrons, les tomates et l'oignon de 2 à 3 minutes en remuant.

3. Sur une plaque de cuisson tapissée d'une feuille de papier parchemin, déposer les tortillas. Répartir la préparation aux légumes en couronne sur les tortillas. Casser 1 œuf au centre de chacune des couronnes de légumes. Parsemer de fromage.

4. Cuire au four de 12 à 15 minutes.

5. Au moment de servir, parsemer de coriandre.

—

En version relevée

Parfaits pour un souper léger, ces œufs à la mexicaine peuvent se préparer en version douce ou piquante selon vos envies. Vous trouvez que le cheddar n'est pas assez relevé ? Optez pour du Monterey Jack aux jalapeños ! Vous voulez ajouter encore plus de mordant ? Agrémentez votre mélange de légumes de piments forts hachés !

Salade de melon d'eau, tomates cerises et chèvre

Préparation : 20 minutes – **Quantité :** 4 portions

PAR PORTION	
Calories	424
Protéines	15 g
Matières grasses	29 g
Glucides	33 g
Fibres	3 g
Fer	2 mg
Calcium	158 mg
Sodium	258 mg

¼	de melon d'eau
½	oignon rouge
10	tomates cerises jaunes et rouges
200 g	(environ ½ lb) de cheddar de chèvre
45 ml	(3 c. à soupe) de feuilles de menthe

Pour la vinaigrette :

60 ml	(¼ de tasse) d'huile d'olive
30 ml	(2 c. à soupe) de jus de lime
15 ml	(1 c. à soupe) de zestes de lime
15 ml	(1 c. à soupe) de miel
15 ml	(1 c. à soupe) d'origan haché
	Sel et poivre au goût

—

1. Dans un saladier, fouetter les ingrédients de la vinaigrette.

2. Tailler le melon d'eau en cubes et l'oignon rouge en fines rondelles. Couper les tomates cerises en quartiers et émietter le cheddar de chèvre.

3. Déposer le melon d'eau, l'oignon rouge, les tomates cerises et le cheddar de chèvre dans le saladier. Remuer délicatement.

4. Répartir la salade dans les assiettes. Parsemer de feuilles de menthe.

—

J'aime avec…

Croûtons gratinés au fromage Oka

Dans un bol, mélanger 250 ml (1 tasse) de fromage Oka râpé avec 15 ml (1 c. à soupe) de thym haché. Sur une plaque de cuisson, déposer 4 tranches de pain et couvrir du mélange au fromage. Poivrer. Faire griller au four de 8 à 10 minutes à 205 °C (400 °F).

PAR PORTION	
Calories	524
Protéines	17 g
Matières grasses	28 g
Glucides	52 g
Fibres	4 g
Fer	2 mg
Calcium	231 mg
Sodium	549 mg

Tortellinis au fromage, pesto aux poivrons rouges rôtis

Préparation : 15 minutes – **Cuisson** : 15 minutes – **Quantité** : 4 portions

1	paquet de tortellinis au fromage de 350 g
60 ml	(¼ de tasse) d'huile d'olive
1	oignon haché
250 ml	(1 tasse) de poivrons rouges rôtis émincés
4	tomates italiennes coupées en dés
30 ml	(2 c. à soupe) d'ail haché
60 ml	(¼ de tasse) de noix de pin rôties
	Sel et poivre au goût
60 ml	(¼ de tasse) de copeaux de parmesan

—

1. Dans une casserole d'eau bouillante salée, cuire les pâtes *al dente*. Égoutter.

2. Dans une grande poêle, chauffer 15 ml (1 c. à soupe) d'huile d'olive à feu moyen. Cuire l'oignon de 4 à 5 minutes.

3. Réserver quelques morceaux de poivrons rôtis pour garnir et déposer le reste dans la poêle. Ajouter les tomates et l'ail. Poursuivre la cuisson de 2 à 3 minutes. Retirer du feu et laisser tiédir quelques minutes.

4. Dans le contenant du mélangeur, réduire la préparation aux poivrons en purée. Incorporer les noix de pin, puis ajouter graduellement le reste de l'huile d'olive. Saler et poivrer.

5. Répartir les pâtes dans les assiettes, puis napper de pesto aux poivrons. Garnir de poivrons réservés et de copeaux de parmesan

—

PAR PORTION	
Calories	551
Protéines	21 g
Matières grasses	22 g
Glucides	69 g
Fibres	5 g
Fer	4 mg
Calcium	276 mg
Sodium	324 mg

Rotinis au pesto, roquette et mozzarella

Préparation : 15 minutes – **Cuisson :** 10 minutes – **Quantité :** 4 portions

1 litre	(4 tasses) de rotinis
15 ml	(1 c. à soupe) d'huile d'olive
1	oignon haché
4 à 5	tomates coupées en dés
375 ml	(1 ½ tasse) de roquette
80 ml	(⅓ de tasse) de pesto
	Sel et poivre au goût
1	boule de mozzarella di bufala de 100 g, coupée en morceaux
125 ml	(½ tasse) de copeaux de parmesan

—

1. Dans une casserole d'eau bouillante salée, cuire les pâtes *al dente*. Égoutter.

2. Dans une grande poêle, chauffer l'huile d'olive à feu moyen. Cuire l'oignon de 2 à 3 minutes.

3. Ajouter les tomates et poursuivre la cuisson de 2 à 3 minutes.

4. Ajouter la roquette, les pâtes et le pesto dans la poêle. Saler, poivrer et remuer.

5. Répartir les pâtes dans les bols. Garnir de morceaux de mozzarella di bufala et de copeaux de parmesan.

—

PAR PORTION	
Calories	635
Protéines	23 g
Matières grasses	27 g
Glucides	74 g
Fibres	4 g
Fer	3 mg
Calcium	391 mg
Sodium	375 mg

Salade de pâtes barbecue

Préparation: 15 minutes – **Cuisson**: 10 minutes – **Quantité**: 4 portions

750 ml	(3 tasses) de gemellis
80 ml	(⅓ de tasse) de sauce barbecue à l'érable
60 ml	(¼ de tasse) d'huile d'olive
30 ml	(2 c. à soupe) de vinaigre de xérès
45 ml	(3 c. à soupe) de ciboulette hachée
	Sel et poivre au goût
16	tomates cerises coupées en deux
16	olives Kalamata
150 g	(⅓ de lb) de gruyère coupé en dés

—

1. Dans une casserole d'eau bouillante salée, cuire les pâtes *al dente*. Égoutter, puis refroidir sous l'eau froide. Égoutter de nouveau.

2. Dans un saladier, mélanger la sauce barbecue avec l'huile, le vinaigre de xérès et la ciboulette. Saler et poivrer.

3. Ajouter les pâtes, les tomates cerises, les olives et le gruyère dans le saladier. Remuer.

—

PAR PORTION	
Calories	381
Protéines	15 g
Matières grasses	16 g
Glucides	44 g
Fibres	4 g
Fer	3 mg
Calcium	126 mg
Sodium	731 mg

Sandwich aux légumes sur pain kaiser

Préparation: 10 minutes – **Quantité**: 4 portions

- ½ paquet de fromage à la crème de 250 g, ramolli
- 125 ml (½ tasse) de ricotta
- 3 oignons verts hachés
- 15 ml (1 c. à soupe) de jus de lime
- 4 pains kaiser coupés en deux
- 125 ml (½ tasse) de poivrons rouges rôtis coupés en lanières
- ½ concombre anglais coupé en rondelles
- 2 tomates coupées en rondelles
- ¼ d'oignon rouge coupé en rondelles
- ½ laitue Boston

—

1. Dans un bol, mélanger le fromage à la crème avec la ricotta, les oignons verts et le jus de lime.

2. Tartiner chacune des moitiés de pain avec le mélange au fromage. Garnir les pains de légumes. Servir aussitôt.

—

PAR PORTION	
Calories	506
Protéines	19 g
Matières grasses	27 g
Glucides	49 g
Fibres	4 g
Fer	3 mg
Calcium	466 mg
Sodium	559 mg

Crêpes aux poireaux et champignons

Préparation: 20 minutes – **Cuisson**: 8 minutes – **Quantité**: 4 portions

45 ml	(3 c. à soupe) de beurre
45 ml	(3 c. à soupe) de farine
500 ml	(2 tasses) de lait 2 %
	Sel et poivre au goût
15 ml	(1 c. à soupe) d'huile d'olive
2	poireaux tranchés
1	casseau de champignons de 227 g, émincés
4	crêpes
250 ml	(1 tasse) de fromage suisse râpé
30 ml	(2 c. à soupe) de persil haché

—

1. Préchauffer le four à 205 °C (400 °F).

2. Dans une casserole, faire fondre le beurre à feu moyen. Incorporer la farine. Cuire 1 minute en remuant constamment avec une cuillère en bois, sans colorer la farine. Ajouter le lait. Saler et poivrer. Chauffer jusqu'aux premiers bouillons en fouettant.

3. Dans une poêle, chauffer l'huile à feu moyen. Cuire les poireaux et les champignons de 2 à 3 minutes.

4. Déposer les crêpes sur le plan de travail. Répartir le mélange aux champignons et poireaux sur les crêpes. Ajouter la moitié du fromage, puis rouler les crêpes.

5. Beurrer un plat de cuisson de 33 cm x 23 cm (13 po x 9 po). Déposer les crêpes dans le plat, napper de sauce et parsemer du reste du fromage. Cuire au four de 8 à 10 minutes.

6. Au moment de servir, parsemer de persil.

—

PAR PORTION	
Calories	574
Protéines	16 g
Matières grasses	30 g
Glucides	64 g
Fibres	6 g
Fer	4 mg
Calcium	93 mg
Sodium	266 mg

Farfalles aux légumes, sauce crémeuse aux fines herbes

Préparation: 15 minutes – **Cuisson**: 10 minutes – **Quantité**: 4 portions

1 litre	(4 tasses) de farfalles
15 ml	(1 c. à soupe) d'huile d'olive
60 ml	(¼ de tasse) d'échalotes sèches (françaises) hachées
500 ml	(2 tasses) de courge Butternut coupée en cubes
3 ½	poivrons de couleurs variées coupés en morceaux
6	asperges coupées en morceaux
1	contenant de fromage crémeux ail et fines herbes (de type Boursin Cuisine) de 245 g
30 ml	(2 c. à soupe) de feuilles d'origan
	Sel et poivre au goût

—

1. Dans une casserole d'eau bouillante salée, cuire les pâtes *al dente*. Égoutter en prenant soin de réserver environ 125 ml (½ tasse) d'eau de cuisson.

2. Pendant ce temps, chauffer l'huile d'olive à feu moyen dans une autre casserole. Cuire les échalotes de 1 à 2 minutes.

3. Ajouter les légumes et cuire de 3 à 4 minutes.

4. Ajouter le fromage crémeux, puis incorporer l'eau de cuisson des pâtes réservée. Porter à ébullition.

5. Ajouter les pâtes et réchauffer de 1 à 2 minutes en remuant.

6. Répartir la préparation dans les assiettes. Parsemer de feuilles d'origan. Saler et poivrer.

—

Index des recettes

Plats principaux

CROQUETTES ET TOFU PANÉ

GRATINS

MIJOTÉS ET CASSEROLES

ŒUFS, OMELETTES ET FRITTATAS

PÂTES

PIZZAS ET TARTES SALÉES

SALADES-REPAS

SANDWICHS, BURGERS ET CIE

SAUTÉS

SOUPES-REPAS

DIVERS

Accompagnements

Sauces, salsa et vinaigrettes